POL MARTIN

À son meilleur!

Plus de 125 recettes simples et délicieuses

TORMONT

Photographies :

Marc Bruneau, Nathalie Dumouchel et Rodrigo Gutierrez

La vaisselle et les accessoires ont été prêtés par :

Arthur Quentin, Pier 1 Imports et Stokes

Conception graphique :

Cyclone Design Communications

TORMONT

© 2008 Les Éditions Tormont inc., Montréal
www.tormont.com

Le présent ouvrage est tiré du livre *À Table!*, publié précédemment par les Éditions Brimar Inc.,
ISBN 2-89433-219-X.

Canadä

Nous reconnaissons l'aide financière du gouvernement du Canada par l'entremise du Programme d'aide
au développement de l'industrie de l'édition (PADIÉ) pour nos activités d'édition.

Dépôt légal – Bibliothèque et Archives nationales du Québec, 2008.

ISBN 978-2-7641-2152-8

Imprimé en Chine

Table des matières

Champignons marinés

4 portions

125 ml	► huile d'olive	► ½ tasse
175 ml	► vinaigre de vin	► ¾ tasse
175 ml	► vin blanc sec	► ¾ tasse
2	► gousses d'ail, pelées, écrasées, hachées	
1	► brin de persil frais	
1	► branche de thym frais	
1	► feuille de laurier	
12	► grains de poivre noir	
1	► pincée de coriandre	
1	► pincée de graines de fenouil	
750 g	► champignons frais, nettoyés	► 1 ½ lb
	► sel et poivre fraîchement moulu	
	► jus de citron	

► Dans une grande casserole, mettre tous les ingrédients, sauf les champignons et 45 ml (3 c. à s.) d'huile. Porter à ébullition et laisser mijoter 12 minutes.

► Faire chauffer le reste de l'huile dans une grande poêle. Ajouter les champignons, bien assaisonner et faire cuire 4 minutes.

► Mettre les champignons dans la casserole contenant la marinade. Bien mélanger et laisser refroidir à la température ambiante. Couvrir d'une pellicule de plastique de sorte qu'elle touche la surface de la marinade ; réfrigérer avant de servir.

1 portion | Calories 171 | Lipides 13 g | Glucides 7 g | Fibres 1,5 g | Protéines 2 g | Cholestérol 0 mg

Poivrons grillés à l'ail

4 portions

2	▸ poivrons rouges		
2	▸ poivrons verts		
2	▸ poivrons jaunes		
60 ml	▸ vinaigre balsamique	▸ 4 c. à s.	
90 ml	▸ huile d'olive	▸ 6 c. à s.	
3	▸ gousses d'ail, pelées, écrasées, hachées		
15 ml	▸ persil frais haché	▸ 1 c. à s.	
	▸ sel et poivre fraîchement moulu		
	▸ jus de citron		

▸ Couper les poivrons en deux et les épépiner. Huiler la peau et les mettre sur une plaque à biscuits, le côté coupé vers le bas ; faire noircir sous le gril du four, de 6 à 10 minutes. Sortir les poivrons et les laisser refroidir. Peler, trancher chaque demi-poivron en trois et réserver.

▸ Dans un bol, mélanger le vinaigre, l'huile, l'ail, le persil, le sel et le poivre. Verser sur les poivrons.

▸ Arroser de jus de citron et saupoudrer de poivre fraîchement moulu. Laisser mariner les poivrons 2 heures à la température ambiante, en les retournant souvent. Servir à la température ambiante.

Artichauts en vinaigrette

4 portions

▸ Couper la tige et la pointe des feuilles des artichauts. Citronner les extrémités coupées, puis ficeler les tranches de citron à la base des artichauts.

▸ Faire cuire dans de l'eau bouillante salée, de 30 à 40 minutes. Les feuilles du centre se détacheront facilement lorsqu'ils seront cuits. Les rincer sous l'eau froide pour arrêter la cuisson. Bien les égoutter et les dresser dans des assiettes.

▸ Dans un bol, mélanger les échalotes sèches, la moutarde, le persil, le vinaigre et l'huile. Assaisonner et fouetter vigoureusement. Ajouter du jus de citron et servir avec les artichauts.

▸ Pour les manger, détacher les feuilles avec les doigts, puis tremper la partie charnue dans la vinaigrette. Seule la partie tendre de la feuille est comestible. Lorsque toutes les feuilles ont été enlevées, couper et jeter le foin, puis déguster le cœur et le fond.

4	▸ gros artichauts	
4	▸ tranches de citron	
2	▸ échalotes sèches, pelées, hachées	
15 ml	▸ moutarde forte	▸ 1 c. à s.
15 ml	▸ persil frais haché	▸ 1 c. à s.
60 ml	▸ vinaigre balsamique	▸ 4 c. à s.
175 ml	▸ huile d'olive	▸ ¾ tasse
	▸ sel et poivre fraîchement moulu	

1 portion | Calories 463 | Lipides 43 g | Glucides 15 g | Fibres 0 g | Protéines 4 g | Cholestérol 0 mg

Salade de tomates et feta

4 portions

Vinaigrette

45 ml	▸ vinaigre balsamique	▸ 3 c. à s.
135 ml	▸ huile d'olive	▸ 9 c. à s.
2	▸ gousses d'ail, pelées, écrasées, hachées	
30 ml	▸ basilic frais haché	▸ 2 c. à s.
	▸ sel et poivre fraîchement moulu	

Salade

5	▸ tomates, coupées en deux, tranchées
3	▸ échalotes sèches, pelées, hachées
2	▸ avocats, dénoyautés, pelés, tranchés
6	▸ tranches de bacon cuites, croustillantes, hachées
250 g	▸ fromage feta, en dés ▸ ½ lb
4	▸ cœurs de palmier en conserve, égouttés, en dés
	▸ poivre fraîchement moulu

▸ Dans un grand bol, mélanger les tomates, les échalotes, les avocats et le bacon. Ajouter le fromage et les cœurs de palmier. Poivrer généreusement.

▸ Dans un petit bol, mélanger tous les ingrédients de la vinaigrette ; verser sur les légumes. Rectifier l'assaisonnement et servir.

1 portion | Calories 743 | Lipides 63 g | Glucides 27 g | Fibres 4,4 g | Protéines 17 g | Cholestérol 59 mg

Salade niçoise

4 à 6 portions

8	▸ filets d'anchois, égouttés		
1 kg	▸ tomates, en quartiers	▸ 2 lb	
1	▸ concombre, pelé, épépiné, tranché		
250 g	▸ haricots verts, effilés, blanchis	▸ ½ lb	
1	▸ poivron vert, tranché		
1	▸ poivron jaune, tranché		
250 ml	▸ olives vertes dénoyautées	▸ 1 tasse	
15 ml	▸ persil frais haché	▸ 1 c. à s.	
4	▸ gousses d'ail, blanchies, en purée		
90 à 120 ml	▸ huile d'olive	▸ 6 à 8 c. à s.	
30 ml	▸ basilic frais haché	▸ 2 c. à s.	
3	▸ œufs durs, en quartiers		
	▸ feuilles de laitue, pour la présentation		
	▸ sel et poivre fraîchement moulu		
	▸ jus de 1 ½ citron		

▸ Faire tremper les filets d'anchois dans de l'eau froide. Bien les égoutter, les éponger avec du papier absorbant et les hacher grossièrement.

▸ Tapisser de feuilles de laitue un plat de service ; réserver.

▸ Dans un bol, rassembler les légumes, les olives, les filets d'anchois et le persil. Assaisonner généreusement, puis bien mélanger.

▸ Dans un autre bol, mélanger l'ail avec le jus de citron, le sel et le poivre. Incorporer l'huile en fouettant ; ajouter le basilic. Verser sur la salade et mélanger.

▸ Dresser la salade dans le plat de service. Garnir des quartiers d'œufs durs et assaisonner de poivre fraîchement moulu.

1 portion | Calories 291 | Lipides 23 g | Glucides 14 g | Fibres 3,3 g | Protéines 7 g | Cholestérol 112 mg

Salade de pommes de terre

4 portions

6	▸ pommes de terre, lavées, non pelées		
45 ml	▸ jus de citron	▸ 3 c. à s.	
125 ml	▸ huile d'olive	▸ ½ tasse	
1	▸ oignon rouge, pelé, haché		
5 ml	▸ raifort	▸ 1 c. à t.	
75 ml	▸ crème sure	▸ ⅓ tasse	
15 ml	▸ aneth frais haché	▸ 1 c. à s.	
1	▸ pincée de sucre		
	▸ sel et poivre fraîchement moulu		

▸ Faire cuire les pommes de terre dans de l'eau bouillante. Les peler lorsqu'elles sont encore chaudes, les détailler en dés et les mettre dans un grand saladier.

▸ Dans un bol, mélanger le jus de citron avec l'huile.

▸ Assaisonner et incorporer le reste des ingrédients. Verser sur les pommes de terre et bien mélanger.

1 portion | Calories 453 | Lipides 33 g | Glucides 35 g | Fibres 3,1 g | Protéines 4 g | Cholestérol 7 mg

Salade de rotinis à la dinde

4 portions

Vinaigrette

15 ml	▸ moutarde forte	▸ 1 c. à s.
1	▸ jaune d'œuf	
3	▸ gousses d'ail blanchies, en purée	
1	▸ échalote sèche, pelée, hachée	
60 ml	▸ vinaigre de vin blanc	▸ 4 c. à s.
135 ml	▸ huile d'olive	▸ 9 c. à s.
30 ml	▸ crème sure	▸ 2 c. à s.
	▸ sel et poivre fraîchement moulu	
	▸ jus de citron, au goût	

Salade

1	▸ grosse laitue romaine, lavée, essorée	
500 ml	▸ rotinis cuits	▸ 2 tasses
1	▸ petit brocoli, en bouquets, blanchis	
12	▸ olives vertes dénoyautées	
12	▸ tomates cerises, coupées en deux	
5	▸ tranches de rôti de dinde, en julienne	
125 ml	▸ pignons grillés	▸ ½ tasse
	▸ sel et poivre fraîchement moulu	

▸ Dans un petit bol, mettre tous les ingrédients, sauf la crème sure et le jus de citron. Fouetter jusqu'à ce que la vinaigrette épaississe. Au fouet, incorporer d'abord le jus de citron, puis la crème sure. Réserver.

▸ Déchiqueter les feuilles de laitue en petits morceaux. Les mettre dans un bol avec le reste des ingrédients de la salade, sauf la dinde et les pignons. Assaisonner généreusement.

▸ Arroser d'un peu de vinaigrette et remuer pour bien enrober.

▸ Répartir la salade entre les assiettes et garnir de la julienne de dinde et de pignons. Arroser de vinaigrette, si désiré.

1 portion | Calories 695 | Lipides 51 g | Glucides 33 g | Fibres 4,4 g | Protéines 26 g | Cholestérol 82 mg

Trévise et cresson en salade

4 portions

Vinaigrette

3	▸ gousses d'ail, blanchies, en purée		
3	▸ filets d'anchois, rincés, hachés		
2	▸ échalotes sèches, pelées, hachées		
15 ml	▸ moutarde forte	▸ 1 c. à s.
45 ml	▸ vinaigre balsamique	▸ 3 c. à s.
135 ml	▸ huile d'olive	▸ 9 c. à s.
	▸ sel et poivre fraîchement moulu	
	▸ jus de citron, au goût	

Salade

1	▸ poivron rouge
1	▸ poivron jaune
3	▸ bottes de cresson
1	▸ petite trévise
12	▸ tomates cerises, coupées en deux
12	▸ olives marinées dénoyautées
	▸ sel et poivre

▸ Dans un bol, mélanger tous les ingrédients de la vinaigrette, sauf le jus de citron. Incorporer le jus de citron au fouet ; réserver.

▸ Couper les poivrons en deux et les épépiner. Huiler la peau et les placer sur une plaque à biscuits, le côté coupé vers le bas. Faire noircir sous le gril préchauffé du four 6 minutes. Sortir du four et laisser refroidir. Peler, trancher et réserver.

▸ Retirer la tige des brins de cresson. Diviser la trévise en feuilles. Bien laver les feuilles de cresson et de trévise à l'eau froide. Égoutter et essorer.

▸ Mettre le cresson et la laitue dans un plat de service. Ajouter le reste des ingrédients et mélanger. Arroser de vinaigrette et mélanger. Assaisonner et servir.

1 portion | Calories 367 | Lipides 35 g | Glucides 10 g | Fibres 2,2 g | Protéines 3 g | Cholestérol 2 mg

Salade de légumes au cari

4 à 6 portions

Vinaigrette au cari

2	▸ gousses d'ail	
15 ml	▸ moutarde forte	▸ 1 c. à s.
2	▸ échalotes sèches, pelées, hachées	
15 ml	▸ persil frais haché	▸ 1 c. à s.
15 ml	▸ poudre de cari	▸ 1 c. à s.
50 ml	▸ vinaigre balsamique	▸ ¼ tasse
175 ml	▸ huile d'olive	▸ ¾ tasse
	▸ sel et poivre fraîchement moulu	
	▸ jus de citron, au goût	

▸ Faire blanchir les gousses d'ail pendant 4 minutes dans de l'eau bouillante salée. Les égoutter, les peler, les réduire en purée et les mettre dans un bol.

▸ Ajouter le reste des ingrédients, sauf le jus de citron, et fouetter jusqu'à ce que la vinaigrette épaississe.

▸ Au fouet, incorporer le jus de citron et réserver.

Salade

1	▸ brocoli, en bouquets
1	▸ petit chou-fleur, en bouquets
12	▸ petits oignons blancs, cuits
12	▸ tomates cerises, coupées en deux
1	▸ branche de céleri, en dés
	▸ feuilles de laitue

▸ Dans de l'eau bouillante salée, faire blanchir séparément le brocoli et le chou-fleur de 2 à 3 minutes, jusqu'à ce qu'ils soient légèrement tendres. Les passer rapidement sous l'eau froide pour en arrêter la cuisson. Égoutter sur du papier absorbant.

▸ Mettre tous les légumes dans un bol. Ajouter la vinaigrette au cari et bien mélanger. Assaisonner généreusement et mélanger de nouveau. Servir sur un lit de laitue.

1 portion | Calories 290 | Lipides 26 g | Glucides 11 g | Fibres 2,5 g | Protéines 3 g | Cholestérol 0 mg

13

Céleri rémoulade aux crevettes

4 portions

1	▸ céleri-rave		
125 ml	▸ mayonnaise	▸ ½ tasse	
10 ml	▸ moutarde forte	▸ 2 c. à t.	
15 ml	▸ persil frais haché	▸ 1 c. à s.	
20	▸ grosses crevettes cuites, décortiquées, déveinées, coupées en trois		
	▸ sel et poivre fraîchement moulu		
	▸ jus de 1 citron		
	▸ quelques gouttes de tabasco		
	▸ feuilles de laitue		

▸ Peler le céleri-rave et le détailler en fine julienne. Le mettre dans un grand bol.

▸ Dans un autre bol, mélanger le reste des ingrédients, sauf les crevettes. Assaisonner au goût et ajouter au céleri-rave. Bien mélanger.

▸ Ajouter les crevettes, mélanger et rectifier l'assaisonnement. Servir sur des feuilles de laitue.

1 portion | Calories 259 | Lipides 23 g | Glucides 6 g | Fibres 0 g | Protéines 7 g | Cholestérol 68 mg

Salade de betteraves et d'oignon rouge

4 portions

6	▸ betteraves fraîches de taille moyenne		
1	▸ oignon rouge, pelé, en rondelles		
15 ml	▸ basilic frais haché	▸ 1 c. à s.	
60 ml	▸ vinaigre de vin	▸ 4 c. à s.	
125 ml	▸ huile d'olive	▸ ½ tasse	
	▸ sel et poivre fraîchement moulu		

▸ Faire cuire les betteraves dans de l'eau bouillante salée pendant 40 minutes, ou jusqu'à ce qu'elles soient tendres. Les égoutter et les laisser refroidir légèrement. Les peler, les trancher et les mettre dans un bol.

▸ Ajouter l'oignon rouge, le basilic, le vinaigre et l'huile. Bien mélanger, assaisonner, puis laisser refroidir avant de servir.

1 portion | Calories 315 | Lipides 31 g | Glucides 8 g | Fibres 2,1 g | Protéines 1 g | Cholestérol 0 mg

Vinaigrette huile et vinaigre

15 ml	► moutarde forte	► 1 c. à s.	
2	► échalotes sèches, pelées, hachées		
15 ml	► persil frais haché	► 1 c. à s.	
50 ml	► vinaigre de vin ou vinaigre balsamique	► ¼ tasse	
175 ml	► huile d'olive	► ¾ tasse	
	► sel et poivre fraîchement moulu		
	► jus de citron ou jus de lime, au goût		

► Dans un bol, fouetter ensemble tous les ingrédients, sauf le jus de citron, jusqu'à ce que la vinaigrette épaississe.

► Ajouter le jus de citron et rectifier l'assaisonnement. Fouetter de nouveau juste avant de servir.

1 recette | Calories 1485 | Lipides 161 g | Glucides 8 g | Fibres 0 g | Protéines 1 g | Cholestérol 0 mg

Vinaigrette au citron

15 ml	► moutarde forte	► 1 c. à s.	
90 ml	► jus de citron	► 6 c. à s.	
125 ml	► huile d'olive	► ½ tasse	
30 ml	► crème sure	► 2 c. à s.	
	► sel et poivre fraîchement moulu		
	► quelques gouttes de tabasco		

► Dans un bol, fouetter ensemble tous les ingrédients, sauf la crème sure.

► Incorporer la crème sure et rectifier l'assaisonnement. Fouetter de nouveau juste avant de servir.

1 recette | Calories 1196 | Lipides 128 g | Glucides 9 g | Fibres 0 g | Protéines 2 g | Cholestérol 12 mg

Soupe aux lentilles et aux légumes

4 portions

15 ml	▸ huile d'olive	▸ 1 c. à s.
1	▸ oignon, pelé, haché	
1	▸ gousse d'ail, pelée, écrasée, hachée	
1	▸ branche de céleri, en petits dés	
250 ml	▸ lentilles sèches, rincées	▸ 1 tasse
1,5 litre	▸ bouillon de poulet	▸ 6 tasses
1	▸ branche de thym frais	
2	▸ brins de persil frais	
1	▸ feuille de laurier	
2	▸ petites pommes de terre, pelées, en dés	
1	▸ poivron vert, en dés	
1	▸ poivron rouge, en dés	
	▸ sel et poivre fraîchement moulu	
	▸ fines herbes fraîches hachées, pour garnir	

▸ Dans une casserole, faire chauffer l'huile à feu moyen. Y faire cuire l'oignon, l'ail et le céleri à feu doux, 3 minutes. Ajouter les lentilles et le bouillon de poulet.

▸ Ficeler toutes les fines herbes. Les ajouter à la soupe, bien assaisonner et porter à ébullition. Couvrir partiellement et faire cuire 1 heure.

▸ Ajouter le reste des ingrédients et poursuivre la cuisson 30 minutes.

▸ Retirer les fines herbes, parsemer de fines herbes fraîches hachées et servir.

Soupe au chou chinois

4 portions

2	▸ nids d'hirondelle* (nouilles chinoises)		
5 ml	▸ huile d'olive	▸ 1 c. à t.	
½	▸ chou chinois (napa), coupé en travers, en tranches de 1 cm (½ po) d'épaisseur		
1,5 litre	▸ bouillon de poulet, chaud	▸ 6 tasses	
	▸ sauce soya, au goût		

▸ Faire cuire les nouilles 3 minutes dans de l'eau bouillante salée. Bien les égoutter et les rincer sous l'eau froide. Les égoutter de nouveau et réserver.

▸ Dans une casserole, faire chauffer l'huile à feu moyen. Y faire sauter le chou 3 minutes, à feu vif.

▸ Mouiller avec le bouillon de poulet et ajouter les nouilles. Laisser mijoter de 3 à 4 minutes, et servir avec de la sauce soya.

* Les nids d'hirondelle se trouvent dans certains supermarchés et dans les magasins d'alimentation asiatiques.

1 portion | Calories 175 | Lipides 3 g | Glucides 29 g | Fibres 3,1 g | Protéines 8 g | Cholestérol 0 mg

Potage Crécy

4 à 6 portions

15 ml	► huile d'olive	► 1 c. à s.
1	► oignon, pelé, haché	
1	► échalote sèche, pelée, hachée	
5	► carottes, pelées, en rondelles	
3	► pommes de terre, pelées, tranchées	
5	► feuilles de basilic frais	
1,25 litre	► bouillon de poulet, chaud	► 5 tasses
4	► feuilles de céleri fraîches	
	► sel et poivre fraîchement moulu	
	► quelques gouttes de jus de citron	
	► crème à 35 % (facultatif)	

► Dans une casserole, faire chauffer l'huile à feu moyen. Y faire cuire l'oignon et l'échalote 3 minutes, à feu doux.

► Ajouter les carottes et assaisonner ; poursuivre la cuisson 5 minutes.

► Incorporer le reste des ingrédients, sauf le jus de citron et la crème. Poursuivre la cuisson jusqu'à ce que les légumes soient bien cuits.

► Réduire la soupe en purée au moulin à légumes ou au robot culinaire. Rectifier l'assaisonnement, incorporer le jus de citron, puis verser dans une soupière. Ajouter un filet de crème, si désiré, et servir.

---

1 portion | Calories 139 | Lipides 3 g | Glucides 23 g | Fibres 3,7 g | Protéines 5 g | Cholestérol 0 mg

Gombo au poulet et au riz

6 portions

2	▸ grosses cuisses de poulet	
60 ml	▸ huile d'olive	▸ 4 c. à s.
45 ml	▸ farine	▸ 3 c. à s.
2	▸ oignons, pelés, hachés	
2	▸ gousses d'ail, pelées, émincées	
1	▸ branche de céleri, en dés	
125 g	▸ okras frais, parés, coupés en deux	▸ ¼ lb
1	▸ piment banane, en dés	
4	▸ tomates, pelées, épépinées, hachées	
2 ml	▸ poivre de Cayenne	▸ ½ c. à t.
1,25 litre	▸ bouillon de poulet, chaud	▸ 5 tasses
1	▸ branche de thym frais	
1	▸ feuille de laurier	
250 ml	▸ riz à grains longs, rincé	▸ 1 tasse
	▸ sel et poivre fraîchement moulu	

▸ Couper les cuisses de poulet en deux à l'articulation, entre le haut de la cuisse et le pilon. Retirer la peau et assaisonner les morceaux. Réserver.

▸ Dans une petite poêle, faire chauffer 45 ml (3 c. à s.) d'huile, à feu moyen. Saupoudrer de farine et mélanger. Couvrir et faire dorer à feu doux. Retirer la poêle du feu et réserver.

▸ Dans une grande casserole, faire chauffer le reste de l'huile, à feu moyen. Y faire cuire les oignons, l'ail et le céleri pendant 4 minutes.

▸ Ajouter les okras et le piment banane. Remuer et poursuivre la cuisson 6 minutes, à feu doux.

▸ Ajouter les morceaux de poulet et mélanger. Faire cuire 8 minutes, à feu moyen, en retournant les morceaux de poulet une fois pendant la cuisson.

▸ Incorporer le reste des ingrédients, sauf le riz, et faire cuire 20 minutes, à feu doux.

▸ Ajouter le riz et poursuivre la cuisson de 18 à 20 minutes. Lorsque le riz est cuit, mélanger la farine grillée avec 125 ml (½ tasse) du bouillon de la soupe. Incorporer à la soupe et laisser mijoter 5 minutes. Retirer le laurier et le thym avant de servir.

Soupe aux pétoncles et aux champignons

4 à 6 portions

1	▸ échalote sèche, pelée, hachée finement	
500 g	▸ pétoncles frais, nettoyés	▸ 1 lb
250 g	▸ champignons frais, nettoyés, coupés en trois	▸ ½ lb
2	▸ oignons verts, hachés	
2	▸ pommes de terre, pelées, en petits dés	
250 ml	▸ vin blanc sec	▸ 1 tasse
1,25 litre	▸ eau	▸ 5 tasses
2 ml	▸ graines de fenouil	▸ ½ c. à t.
5 ml	▸ persil frais haché	▸ 1 c. à t.
60 ml	▸ beurre	▸ 4 c. à s.
60 ml	▸ farine	▸ 4 c. à s.
	▸ sel et poivre	
	▸ poivre de Cayenne, au goût	
	▸ persil frais haché	

▸ Dans une grande casserole, mettre l'échalote, les pétoncles, les champignons, les oignons verts et les pommes de terre. Mouiller avec le vin et l'eau. Ajouter les graines de fenouil, 5 ml (1 c. à t.) de persil haché et bien assaisonner.

▸ Porter à faible ébullition, à feu moyen. Dès que les pétoncles seront opaques, les retirer à l'aide d'une écumoire et réserver.

▸ Poursuivre la cuisson du liquide et des légumes 15 minutes, à feu moyen, ou jusqu'à ce que les pommes de terre soient cuites.

▸ Dans une grande poêle, faire chauffer le beurre à feu moyen. Saupoudrer de farine et bien mélanger ; faire cuire 1 minute. Ajouter 500 ml (2 tasses) du liquide de cuisson des pétoncles et fouetter pour bien incorporer.

▸ Verser cette sauce dans la casserole. Bien incorporer au fouet et laisser cuire 3 minutes.

▸ Remettre les pétoncles dans la soupe et laisser mijoter 1 minute, à feu doux. Ajouter du poivre de Cayenne et du persil haché, et servir.

1 portion | Calories 197 | Lipides 8 g | Glucides 14 g | Fibres 1,8 g | Protéines 14 g | Cholestérol 46 mg

Crème d'asperges

4 portions

500 g	► asperges fraîches	► 1 lb
1	► oignon, pelé, en quartiers	
1,25 litre	► bouillon de poulet, chaud	► 5 tasses
45 ml	► beurre	► 3 c. à s.
45 ml	► farine	► 3 c. à s.
60 ml	► crème à 35 % (facultatif)	► 4 c. à s.
250 ml	► croûtons	► 1 tasse
	► sel et poivre fraîchement moulu	

► Parer les asperges, couper le bout des tiges, puis les détailler en tronçons de 2,5 cm (1 po).

► Mettre les asperges, l'oignon et le bouillon de poulet dans une grande casserole. Bien assaisonner et porter à ébullition. Faire cuire 8 minutes, à feu moyen, ou jusqu'à ce que les légumes soient tendres.

► Égoutter les légumes, réserver le bouillon et plusieurs pointes d'asperge pour garnir.

► Au robot culinaire, réduire les légumes en purée.

► Faire chauffer le beurre dans une casserole, à feu moyen. Saupoudrer de farine et bien mélanger. Faire cuire 1 minute.

► Incorporer le bouillon réservé et les légumes en purée. Rectifier l'assaisonnement.

► Ajouter la crème, si désiré, et laisser mijoter 5 minutes, à feu doux.

► Garnir de croûtons et des pointes d'asperge réservées ; servir.

1 portion | Calories 252 | Lipides 12 g | Glucides 27 g | Fibres 3,9 g | Protéines 9 g | Cholestérol 24 mg

Minestrone

4 à 6 portions

30 ml	▸ huile d'olive	▸ 2 c. à s.
1	▸ oignon, pelé, haché	
1	▸ branche de céleri, en dés	
2	▸ carottes, pelées, en dés	
1	▸ petit navet, pelé, en dés	
1	▸ poivron vert, en dés	
2	▸ pommes de terre, pelées, en dés	
¼	▸ petit chou vert, tranché	
1,25 litre	▸ bouillon de poulet, chaud	▸ 5 tasses
1	▸ branche de thym frais	
2	▸ brins de persil frais	
1	▸ feuille de laurier	
4	▸ grosses tomates, pelées, épépinées, hachées	
2	▸ gousses d'ail, pelées, écrasées, hachées	
15 ml	▸ basilic frais haché	▸ 1 c. à s.
125 ml	▸ petites pâtes sèches	▸ ½ tasse
125 ml	▸ haricots blancs cuits	▸ ½ tasse
	▸ sel et poivre fraîchement moulu	
	▸ parmesan râpé	

▸ Dans une grande casserole, faire chauffer la moitié de l'huile à feu moyen. Y faire cuire à feu doux, pendant 4 minutes, l'oignon, le céleri et les carottes.

▸ Ajouter le navet, le poivron, les pommes de terre et le chou. Mouiller avec le bouillon de poulet et assaisonner.

▸ Ficeler toutes les fines herbes ; les ajouter à la soupe. Porter à ébullition et faire cuire jusqu'à ce que les légumes soient tendres.

▸ Faire chauffer le reste de l'huile dans une poêle, à feu moyen. Ajouter les tomates, l'ail et le basilic ; bien assaisonner. Faire cuire 5 minutes, à feu vif, puis incorporer à la soupe.

▸ Ajouter les pâtes et les haricots. Rectifier l'assaisonnement et faire cuire 10 minutes, à feu doux. Retirer les fines herbes et servir avec du parmesan râpé.

Terrine aux épinards et au thon

6 portions

2	▸ boîtes de thon, égoutté	
15 ml	▸ persil frais haché	▸ 1 c. à s.
375 ml	▸ épinards frais cuits, hachés	▸ 1 ½ tasse
30 ml	▸ câpres	▸ 2 c. à s.
75 ml	▸ crème fouettée	▸ ⅓ tasse
30 ml	▸ crème sure	▸ 2 c. à s.
	▸ sel et poivre fraîchement moulu	
	▸ tabasco, au goût	

▸ Au robot culinaire, réduire en purée le thon, le persil, les épinards et les câpres. Bien assaisonner et incorporer le tabasco.

▸ Verser le mélange dans un bol et y incorporer délicatement la crème fouettée et la crème sure. Verser la préparation dans une terrine, couvrir d'une pellicule de plastique de sorte qu'elle touche la surface et réfrigérer 8 heures.

▸ Démouler et dresser dans un plat de service, si désiré. Servir accompagné de chutney, de craquelins et de crudités.

1 portion | Calories 114 | Lipides 6 g | Glucides 2 g | Fibres 1,2 g | Protéines 13 g | Cholestérol 25 mg

Darnes de saumon pochées au vin blanc

4 portions

1	▸ branche de céleri avec ses feuilles, tranchée		
2	▸ échalotes sèches, pelées, émincées		
1	▸ carotte, pelée, émincée		
1	▸ branche de thym frais		
2	▸ brins de persil frais		
1	▸ feuille de laurier		
12	▸ grains de poivre noir		
250 ml	▸ vin blanc sec	▸ 1 tasse	
1 litre	▸ eau froide	▸ 4 tasses	
4	▸ darnes de saumon de 2 cm (³/₄ po) d'épaisseur, rincées		
	▸ sel et poivre fraîchement moulu		
	▸ jus de citron, au goût		

▸ Dans une casserole, mettre tous les ingrédients, sauf les darnes de saumon. Porter à ébullition et faire cuire 16 minutes, à feu doux.

▸ Déposer les darnes de saumon dans le liquide ; laisser mijoter de 6 à 7 minutes, à feu très doux.

Le saumon est cuit lorsque la chair est ferme au toucher. Servir avec une julienne de légumes frais et du jus de citron.

1 portion | Calories 236 | Lipides 8 g | Glucides 3 g | Fibres 0,7 g | Protéines 36 g | Cholestérol 97 mg

27

Filets de sole aux champignons

4 portions

4	▸ filets de sole frais, rincés, épongés		
125 ml	▸ farine tout usage	▸ ½ tasse	
30 ml	▸ huile d'olive	▸ 2 c. à s.	
15 ml	▸ beurre	▸ 1 c. à s.	
250 g	▸ champignons frais, nettoyés, tranchés	▸ ½ lb	
15 ml	▸ persil frais haché	▸ 1 c. à s.	
	▸ sel et poivre fraîchement moulu		
	▸ jus de 1 citron		

▸ Saler et poivrer les filets de sole ; les enrober de farine.

▸ Dans une poêle, faire chauffer l'huile à feu vif. Y faire cuire les filets 2 minutes d'un côté. Les retourner et poursuivre la cuisson 1 minute.

▸ Dresser les filets dans un plat allant au four et les garder au chaud.

▸ Ajouter du beurre dans la poêle chaude. Y mettre les champignons et assaisonner. Faire cuire 4 minutes, à feu vif. Ajouter le persil et le jus de citron, mélanger et verser sur les filets de sole. Servir immédiatement.

1 portion | Calories 315 | Lipides 11 g | Glucides 16 g | Fibres 2,0 g | Protéines 38 g | Cholestérol 116 mg

Espadon aux amandes

4 portions

4	▸ darnes d'espadon, rincées, épongés		
30 ml	▸ huile d'olive	▸ 2 c. à s.	
15 ml	▸ beurre	▸ 1 c. à s.	
50 ml	▸ amandes effilées	▸ ¼ tasse	
30 ml	▸ câpres	▸ 2 c. à s.	
15 ml	▸ persil frais haché	▸ 1 c. à s.	
	▸ sel et poivre fraîchement moulu		
	▸ jus de 2 limes		

▸ Préchauffer le four à 190 °C (375 °F). Saler et poivrer les darnes d'espadon.

▸ Dans une grande poêle allant au four, faire chauffer l'huile à feu moyen. Y faire cuire les darnes d'espadon 2 minutes d'un côté, les retourner et poursuivre la cuisson 1 minute.

▸ Terminer la cuisson au four de 6 à 7 minutes. Rectifier le temps de cuisson selon la taille des darnes. Dresser le poisson dans un plat de service et garder au chaud.

▸ Remettre la poêle sur le feu et faire cuire, pendant 2 minutes, les jus de cuisson additionnés du beurre, des amandes, des câpres et du persil.

▸ Incorporer le jus des limes, verser sur les darnes d'espadon et servir.

1 portion | Calories 346 | Lipides 10 g | Glucides 12 g | Fibres 2,5 g | Protéines 42 g | Cholestérol 77 mg

Darnes de flétan à la tomate

4 portions

4	▸ darnes de flétan, rincées		
30 ml	▸ beurre	▸ 2 c. à s.	
2	▸ oignons, pelés, émincés		
2	▸ gousses d'ail, pelées, écrasées, hachées		
4	▸ tomates, pelées, épépinées, hachées		
15 ml	▸ basilic frais haché	▸ 1 c. à s.	
5 ml	▸ persil frais haché	▸ 1 c. à t.	
375 ml	▸ vin blanc sec	▸ 1 ½ tasse	
125 ml	▸ eau	▸ ½ tasse	
	▸ sel et poivre fraîchement moulu		

▸ Saler et poivrer les darnes de flétan.

▸ Dans une poêle, faire chauffer le beurre à feu moyen. Y faire cuire les oignons 12 minutes, à feu doux, en remuant de temps à autre.

▸ Ajouter l'ail, les tomates et les fines herbes ; assaisonner. Monter le feu à vif et faire cuire 6 minutes.

▸ Disposer les darnes de flétan sur les légumes, dans la poêle. Mouiller avec le vin et l'eau ; assaisonner. Couvrir d'une feuille de papier ciré de sorte qu'elle touche la surface. Porter à ébullition à feu moyen.

▸ Baisser le feu à doux et retourner les darnes. Couvrir et laisser mijoter 5 minutes, ou jusqu'à ce que les darnes soient cuites.

▸ Dresser les darnes de flétan dans un plat de service. Retirer et jeter l'arête centrale.

▸ Faire bouillir le reste du liquide pendant 3 minutes, à feu vif. Verser sur le poisson et servir.

Ragoût de morue

4 portions

4	▸ tranches de bacon, en morceaux	
½	▸ oignon rouge, pelé, haché	
2	▸ gousses d'ail, pelées, écrasées, hachées	
4	▸ pommes de terre, pelées, en dés	
1 litre	▸ bouillon de légumes, chaud	▸ 4 tasses
2	▸ brins de fenouil frais	
750 g	▸ morue fraîche, rincée, en cubes	▸ 1 ½ lb
30 ml	▸ beurre	▸ 2 c. à s.
30 ml	▸ farine tout usage	▸ 2 c. à s.
15 ml	▸ persil frais haché	▸ 1 c. à s.
	▸ sel et poivre fraîchement moulu	

▸ Dans une grande casserole, faire cuire le bacon, à feu moyen. Ajouter l'oignon et l'ail. Baisser le feu à doux et faire cuire 4 minutes.

▸ Ajouter les pommes de terre, le bouillon de légumes et le fenouil. Assaisonner et faire cuire 12 minutes, à feu doux.

▸ Ajouter le poisson et faire cuire 6 minutes. Jeter les brins de fenouil. Réserver 250 ml (1 tasse) du liquide de cuisson.

▸ Dans une poêle, faire chauffer le beurre à feu moyen. Saupoudrer de farine et bien mélanger. Faire cuire 15 secondes. Incorporer le liquide de cuisson réservé. Verser ce mélange dans la casserole contenant la morue et les légumes ; mélanger délicatement. Parsemer de persil et servir.

1 portion | Calories 403 | Lipides 11 g | Glucides 30 g | Fibres 3,2 g | Protéines 46 g | Cholestérol 113 mg

Morue avec purée de pommes de terre et fromage suisse

4 portions

15 ml	▸ beurre	▸ 1 c. à s.	
750 g	▸ filets de morue, rincés	▸ 1 ½ lb	
3	▸ échalotes sèches, pelées, hachées		
1	▸ branche de thym frais		
2	▸ brins de persil frais		
4	▸ pommes de terre, pelées, émincées		
50 ml	▸ fromage suisse râpé	▸ ¼ tasse	
	▸ sel et poivre fraîchement moulu		

▸ Beurrer un plat allant au four et réserver. Dans une grande casserole, déposer les filets de morue et les assaisonner. Ajouter les échalotes, les fines herbes et les pommes de terre.

▸ Couvrir d'eau froide et porter à ébullition à feu moyen. Baisser le feu à doux et laisser mijoter 3 minutes.

▸ Retirer la morue et réserver ; jeter les fines herbes. Poursuivre la cuisson des pommes de terre jusqu'à ce qu'elles soient tendres. Retirer les pommes de terre de la casserole, bien les égoutter et les réduire en purée au moulin à légumes.

▸ Déposer les filets de morue dans le plat allant au four, les couvrir de purée de pommes de terre, bien poivrer et parsemer de fromage suisse. Faire cuire sous le gril préchauffé du four 5 minutes, ou jusqu'à ce que le fromage soit doré. Servir.

1 portion | Calories 289 | Lipides 5 g | Glucides 20 g | Fibres 1,8 g | Protéines 41 g | Cholestérol 103 mg

Turbot aux tomates séchées

4 portions

2	▸ gros filets de turbot, rincés, coupés en deux		
2	▸ échalotes sèches, pelées, hachées		
1	▸ branche de céleri avec les feuilles, tranchée		
250 ml	▸ vin blanc sec	▸ 1 tasse	
375 ml	▸ eau	▸ 1 $\frac{1}{2}$ tasse	
2	▸ brins de fenouil frais		
1	▸ branche de thym frais		
2	▸ brins de persil frais		
15 ml	▸ huile d'olive	▸ 1 c. à s.	
3	▸ gousses d'ail, pelées, écrasées, hachées		
3	▸ tomates, pelées, épépinées, hachées		
30 ml	▸ tomates séchées hachées	▸ 2 c. à s.	
15 ml	▸ basilic frais haché	▸ 1 c. à s.	
	▸ sel et poivre fraîchement moulu		
	▸ jus de citron		

▸ Mettre les filets de turbot dans une grande poêle. Ajouter les échalotes, le céleri, le vin, l'eau et les fines herbes. Bien assaisonner et couvrir d'une feuille de papier ciré de sorte qu'elle touche la surface. Porter à ébullition à feu moyen.

▸ Baisser le feu à doux et retourner les filets. Laisser mijoter 2 minutes. Retirer les filets et réserver.

▸ Faire chauffer le liquide de cuisson à feu vif, jusqu'à ce qu'il ait réduit du tiers ; réserver.

▸ Dans une autre poêle, faire chauffer l'huile à feu vif. Y faire revenir l'ail 1 minute. Ajouter les tomates fraîches et les tomates séchées, parsemer de basilic et bien assaisonner. Faire cuire 6 minutes, à feu vif.

▸ Ajouter à la préparation aux tomates les filets de turbot et un peu du liquide de cuisson. Laisser mijoter 3 minutes pour réchauffer le poisson. Arroser de jus de citron et servir.

1 portion | Calories 261 | Lipides 9 g | Glucides 7 g | Fibres 1,4 g | Protéines 33 g | Cholestérol 95 mg

Ragoût de flétan et de pommes de terre

4 portions

3	▸ darnes de flétan, rincées		
125 ml	▸ vin blanc sec	▸ ½ tasse	
500 à 625 ml	▸ eau	▸ 2 à 2 ½ tasses	
2	▸ échalotes sèches, pelées, hachées		
1	▸ branche de thym frais		
2	▸ brins de fenouil frais		
2	▸ brins de persil frais		
32	▸ pommes de terre parisiennes crues, nettoyées		
32	▸ têtes de champignon frais, nettoyées		
2	▸ carottes, pelées, en petits bâtonnets		
45 ml	▸ beurre	▸ 3 c. à s.	
45 ml	▸ farine tout usage	▸ 3 c. à s.	
	▸ sel et poivre fraîchement moulu		

▸ Mettre les darnes de flétan dans une grande poêle avec le vin. Ajouter l'eau, les échalotes sèches et les fines herbes ; assaisonner. Porter à ébullition à feu moyen.

▸ Dès les premiers bouillons, baisser le feu à doux. Retourner les darnes de flétan et laisser mijoter 3 minutes. Retirer le poisson de la poêle et réserver.

▸ Au liquide, dans la poêle, ajouter les pommes de terre, les champignons et les carottes. Couvrir et faire cuire jusqu'à ce que les légumes soient tendres. Retirer les légumes et réserver. Jeter les fines herbes ; réserver le liquide de cuisson.

▸ Faire chauffer le beurre dans une casserole, à feu moyen. Le saupoudrer de farine, bien mélanger et faire cuire 1 minute.

▸ Incorporer 500 ml (2 tasses) du liquide de cuisson. Assaisonner généreusement et faire cuire la sauce 6 minutes, jusqu'à ce qu'elle épaississe.

▸ Désosser le poisson et le défaire en flocons. Le déposer au fond d'un plat allant au four, beurré, puis le couvrir des légumes. Napper de sauce et placer sous le gril préchauffé du four jusqu'à ce que le ragoût soit bien chaud. Servir.

Brochettes de pétoncles marinés et de légumes

4 portions

Marinade

250 ml	▸ vin blanc sec	▸ 1 tasse
1	▸ échalote sèche, pelée, hachée	
30 ml	▸ huile d'olive	▸ 2 c. à s.
2	▸ gousses d'ail, pelées, émincées	
5 ml	▸ chacune des fines herbes fraîches et hachées suivantes : persil, estragon, basilic, origan	▸ 1 c. à t.
750 g	▸ pétoncles frais, rincés	▸ 1 ½ lb
	▸ sel et poivre fraîchement moulu	
	▸ jus de citron, au goût	

▸ Dans un bol, bien mélanger tous les ingrédients de la marinade, sauf les pétoncles. Les ajouter à la marinade et couvrir d'une pellicule de plastique de sorte qu'elle touche la surface de la marinade. Réfrigérer 1 heure. Retirer les pétoncles et réserver la marinade pour badigeonner les brochettes pendant la cuisson.

Brochettes

2	▸ grosses carottes, pelées, en rondelles de 1 cm (½ po) d'épaisseur	
¼	▸ brocoli, en petits bouquets	
250 g	▸ têtes de champignons, nettoyées	▸ ½ lb
	▸ jus de citron	
	▸ sel et poivre fraîchement moulu	

▸ Dans de l'eau bouillante salée, faire blanchir séparément les carottes et le brocoli. Bien les égoutter et les éponger avec du papier absorbant.

▸ Sur des brochettes en métal, enfiler, en alternant, les pétoncles, les champignons, les carottes et le brocoli. Badigeonner de marinade et bien assaisonner.

▸ Faire cuire sous le gril préchauffé du four, de 4 à 5 minutes, en les tournant 2 à 3 fois pendant la cuisson et en les badigeonnant souvent de marinade. Arroser de jus de citron et servir sur un lit de riz.

1 portion | Calories 211 | Lipides 3 g | Glucides 14 g | Fibres 3,5 g | Protéines 32 g | Cholestérol 57 mg

Vol-au-vent de la mer

4 portions

2	▶ filets de sole		
500 g	▶ petits pétoncles, rincés	▶ 1 lb	
250 g	▶ champignons frais, nettoyés, tranchés	▶ ½ lb	
2	▶ échalotes sèches, pelées, hachées		
1 ½	▶ poivron rouge, émincé		
1	▶ brin de fenouil frais		
2	▶ brins de persil frais		
250 ml	▶ vin blanc sec	▶ 1 tasse	
45 ml	▶ beurre	▶ 3 c. à s.	
45 ml	▶ farine tout usage	▶ 3 c. à s.	
4	▶ petits vol-au-vent		
	▶ sel et poivre fraîchement moulu		
	▶ jus de citron, au goût		

▶ Mettre les filets de sole dans une grande poêle. Ajouter les pétoncles, les champignons, les échalotes, le poivron, les fines herbes et le vin. Couvrir d'eau froide et bien assaisonner.

▶ Couvrir la poêle d'une feuille de papier ciré de sorte qu'elle touche la surface du liquide. Porter à ébullition à feu moyen. Retirer immédiatement du feu et laisser reposer 2 minutes.

▶ Avec une écumoire, retirer le poisson et les pétoncles. Réserver le liquide de cuisson et les légumes ; jeter les fines herbes.

▶ Dans une casserole, faire chauffer le beurre à feu moyen. Y saupoudrer la farine et bien mélanger ; faire cuire 20 secondes. Incorporer le liquide de cuisson réservé et les légumes. Assaisonner et poursuivre la cuisson 4 minutes.

▶ Entre-temps, faire chauffer les vol-au-vent au four.

▶ Incorporer le poisson et les pétoncles à la sauce et laisser mijoter 2 minutes, à feu doux. Arroser de jus de citron, garnir les vol-au-vent de la préparation et servir.

1 portion | Calories 362 | Lipides 14 g | Glucides 18 g | Fibres 2,3 g | Protéines 31 g | Cholestérol 90 mg

Riz aux fruits de mer

4 portions

60 ml	▸ huile d'olive	▸ 4 c. à s.
1	▸ oignon, pelé, haché	
½	▸ branche de céleri, en petits dés	
250 ml	▸ riz blanc à grains longs, rincé, égoutté	▸ 1 tasse
375 ml	▸ bouillon de poulet ou de légumes, chaud	▸ 1 ½ tasse
250 g	▸ crevettes fraîches, décortiquées, déveinées	▸ ½ lb
500 g	▸ pétoncles frais, rincés, épongés	▸ 1 lb
2	▸ gousses d'ail, pelées, émincées	
1	▸ courgette, coupée en deux dans le sens de la longueur, émincée	
250 g	▸ champignons frais, nettoyés, émincés	▸ ½ lb
	▸ sel et poivre fraîchement moulu	
	▸ sauce soya	
	▸ jus de citron, au goût	

▸ Préchauffer le four à 180 °C (350 °F).

▸ Dans une casserole allant au four, faire chauffer 15 ml (1 c. à s.) d'huile, à feu moyen. Y faire revenir l'oignon et le céleri 2 minutes.

▸ Ajouter le riz, bien mélanger et faire cuire 2 minutes, à feu vif. Assaisonner.

▸ Mouiller avec le bouillon de poulet, couvrir et faire cuire au four, 18 minutes.

▸ Environ 6 minutes avant la fin de la cuisson, faire chauffer le reste de l'huile dans une poêle, à feu vif. Y faire sauter les fruits de mer 2 minutes. Ajuster la cuisson selon la taille. Retirer les fruits de mer et réserver.

▸ Dans la poêle, ajouter l'ail, la courgette et les champignons. Bien assaisonner et faire cuire 4 minutes, à feu vif.

▸ Remettre les fruits de mer dans la poêle. Incorporer la sauce soya et le jus de citron ; assaisonner. Faire cuire 1 minute et incorporer au riz. Remuer avec une fourchette et servir.

Crevettes froides au cari, avec pommes et mandarines

4 portions

750 g	▸ crevettes fraîches	▸ 1 ½ lb	
15 ml	▸ huile d'olive	▸ 1 c. à s.	
1	▸ oignon, pelé, haché		
2	▸ échalotes sèches, pelées, hachées		
2	▸ gousses d'ail, pelées, écrasées, hachées		
15 ml	▸ poudre de cari	▸ 1 c. à s.	
125 ml	▸ mayonnaise	▸ ½ tasse	
30 ml	▸ sauce chili	▸ 2 c. à s.	
30 ml	▸ crème sure	▸ 2 c. à s.	
250 ml	▸ mandarines en quartiers, en conserve, égouttées	▸ 1 tasse	
2	▸ pommes, évidées, pelées, émincées		
	▸ sel et poivre fraîchement moulu		
	▸ quelques gouttes de tabasco		

▸ Mettre les crevettes dans une casserole remplie d'eau froide salée. Porter à ébullition, à feu moyen. Retirer la casserole du feu et laisser reposer 2 minutes.

▸ Mettre la casserole sous l'eau froide pour arrêter la cuisson. Décortiquer les crevettes et les déveiner. Réserver.

▸ Dans une poêle, faire chauffer l'huile à feu moyen. Ajouter l'oignon, les échalotes et l'ail ; faire cuire 4 minutes, à feu doux. Assaisonner.

▸ Saupoudrer de poudre de cari et mélanger. Poursuivre la cuisson 3 minutes.

▸ Mettre la préparation aux légumes dans un bol. Incorporer la mayonnaise, la sauce chili et la crème sure. Ajouter quelques gouttes de tabasco. Mélanger et assaisonner au goût.

▸ Ajouter les fruits et mélanger délicatement.

▸ Disposer les crevettes dans un plat de service ; garnir de la préparation à la mayonnaise. Servir avec des noix, des raisins et des crudités.

1 portion | Calories 521 | Lipides 29 g | Glucides 28 g | Fibres 2,5 g | Protéines 37 g | Cholestérol 348 mg

Moules avec sauce à la crème

4 portions

2,5 kg	▸ moules fraîches, grattées, ébarbées, lavées	▸ 5 lb
75 ml	▸ beurre	▸ 5 c. à s.
3	▸ échalotes sèches, pelées, hachées	
500 ml	▸ vin blanc sec	▸ 2 tasses
250 ml	▸ crème à 35 %	▸ 1 tasse
15 ml	▸ persil frais haché	▸ 1 c. à s.
	▸ sel et poivre fraîchement moulu	

▸ Mettre les moules dans une grande casserole avec 45 ml (3 c. à s.) de beurre, les échalotes, le vin et du poivre.

▸ Couvrir et porter à ébullition. Baisser le feu à doux et faire cuire environ 5 minutes, ou jusqu'à ce que les coquilles s'ouvrent. Secouer la casserole plusieurs fois pendant la cuisson.

▸ Retirer les moules de la casserole et jeter celles qui sont restées fermées ; garder les autres au chaud. Filtrer le liquide à travers une passoire tapissée d'une mousseline. Faire cuire à feu moyen le liquide filtré, jusqu'à ce qu'il ait réduit du tiers.

▸ Ajouter la crème et le reste du beurre. Faire cuire 4 minutes, à feu doux. Incorporer le persil et rectifier l'assaisonnement.

▸ Remettre les moules dans la casserole, ajouter la sauce à la crème, laisser mijoter quelques minutes et servir.

Homard à la Newburg

4 portions

375 ml	▸ vin blanc sec	▸ 1 ½ tasse	
125 ml	▸ fumet de poisson, ou jus de palourde	▸ ½ tasse	
2	▸ homards bouillis, de 750 g (1 ½ lb) chacun, coupés en deux		
60 ml	▸ beurre	▸ 4 c. à s.	
4	▸ échalotes sèches, pelées, hachées		
375 g	▸ champignons frais, nettoyés, en dés	▸ ¾ lb	
30 ml	▸ farine	▸ 2 c. à s.	
250 ml	▸ crème à 15 %, chaude	▸ 1 tasse	
50 ml	▸ madère	▸ ¼ tasse	
	▸ sel et poivre fraîchement moulu		
	▸ paprika, au goût		
	▸ persil frais haché		

▸ Dans une casserole, porter le vin à ébullition et poursuivre la cuisson 3 minutes. Ajouter le fumet de poisson et baisser le feu à doux ; laisser mijoter jusqu'au moment de l'utiliser.

▸ Retirer la chair de homard de la carapace, la couper en cubes et réserver. Jeter les intestins. Retirer le foie (partie crémeuse) et le corail s'il y en a, et réserver.

▸ Nettoyer les carapaces et les sécher dans un four chaud.

▸ Dans une poêle, faire chauffer le beurre à feu moyen. Y faire cuire 2 minutes, à feu vif, la chair de homard, les échalotes sèches, le poivre et le paprika. Retirer le homard de la poêle et réserver.

▸ Ajouter les champignons à la poêle et bien les assaisonner. Faire cuire 4 minutes, à feu moyen. Saupoudrer de farine, mélanger et poursuivre la cuisson 2 minutes.

▸ Mouiller avec le vin et le fumet de poisson, mélanger et incorporer la crème. Assaisonner, remuer et poursuivre la cuisson 6 minutes, à feu doux.

▸ Incorporer le madère et la chair de homard ainsi que le foie et le corail, si désiré. Assaisonner et laisser mijoter 4 minutes.

▸ Farcir les carapaces de homard de la préparation, parsemer de persil et servir.

Pétoncles gratinés

4 portions

750 g	▸ gros pétoncles frais, rincés	▸ 1 ½ lb	
125 ml	▸ vin blanc sec	▸ ½ tasse	
2	▸ échalotes sèches, pelées, hachées		
250 g	▸ champignons, nettoyés, tranchés	▸ ½ lb	
1	▸ branche de thym frais		
500 ml	▸ eau froide	▸ 2 tasses	
45 ml	▸ beurre	▸ 3 c. à s.	
45 ml	▸ farine tout usage	▸ 3 c. à s.	
125 ml	▸ crème à 35 %	▸ ½ tasse	
250 ml	▸ gruyère râpé	▸ 1 tasse	
	▸ sel et poivre fraîchement moulu		
	▸ jus de citron, au goût		

▸ Mettre les pétoncles dans une sauteuse. Ajouter le vin, les échalotes, les champignons et tous les assaisonnements. Mouiller avec 500 ml (2 tasses) d'eau. Couvrir d'une feuille de papier ciré de sorte qu'elle touche la surface. Porter au point d'ébullition, à feu moyen.

▸ Retirer la sauteuse du feu, retourner les pétoncles et laisser reposer 2 minutes dans le liquide de cuisson chaud. Réserver les pétoncles dans un bol. Poursuivre la cuisson du liquide 4 minutes, à feu vif. Retirer et jeter la branche de thym.

▸ Entre-temps, dans une casserole, faire chauffer le beurre à feu moyen. Saupoudrer de farine et mélanger ; faire cuire 20 secondes.

▸ Incorporer le liquide réduit, puis la crème. Faire cuire 3 minutes, à feu doux.

▸ Assaisonner et ajouter les pétoncles réservés. Incorporer le jus de citron. Répartir la préparation entre des plats en forme de coquille ; couvrir de fromage. Faire dorer sous le gril préchauffé du four et servir.

1 portion | Calories 437 | Lipides 27 g | Glucides 12 g | Fibres 1,7 g | Protéines | 34 g | Cholestérol 138 mg

Croquettes au crabe

4 portions

250 g	▸ fromage à la crème	▸ 8 oz	
1	▸ œuf, battu		
15 ml	▸ moutarde forte	▸ 1 c. à s.	
15 ml	▸ persil frais haché	▸ 1 c. à s.	
15 ml	▸ ciboulette fraîche hachée	▸ 1 c. à s.	
30 ml	▸ farine tout usage	▸ 2 c. à s.	
5 ml	▸ jus de citron	▸ 1 c. à t.	
500 g	▸ chair de crabe, égouttée, émiettée	▸ 1 lb	
125 ml	▸ farine tout usage	▸ ½ tasse	
2	▸ œufs, battus		
250 ml	▸ chapelure assaisonnée	▸ 1 tasse	
60 ml	▸ huile d'arachide	▸ 4 c. à s.	
	▸ sel et poivre fraîchement moulu		

▸ Mélanger ensemble le fromage à la crème, 1 œuf battu et la moutarde. Ajouter le persil, la ciboulette, 30 ml (2 c. à s.) de farine et le jus de citron ; assaisonner au goût. Bien mélanger et incorporer la chair de crabe.

▸ Avec les mains, façonner la préparation en croquettes. Réfrigérer 30 minutes.

▸ Enrober les croquettes de farine, les tremper dans les œufs battus, puis dans la chapelure. Dans une poêle, faire chauffer l'huile à feu moyen. Y faire dorer les croquettes 3 minutes de chaque côté.

▸ Servir avec une salade.

Poulet chasseur

4 portions

1	▸ poulet de 2 kg (4 lb) paré, coupé en huit	
30 ml	▸ huile d'olive	▸ 2 c. à s.
3	▸ échalotes sèches, pelées, hachées	
3	▸ gousses d'ail, pelées, écrasées, hachées	
2	▸ petits oignons, pelés, coupés en quatre	
125 ml	▸ vin blanc sec	▸ ½ tasse
3	▸ tomates, pelées, épépinées, hachées	
30 ml	▸ basilic frais haché	▸ 2 c. à s.
30 ml	▸ beurre	▸ 2 c. à s.
250 g	▸ têtes de champignons frais, nettoyées	▸ ½ lb
	▸ sel et poivre fraîchement moulu	

▸ Préchauffer le four à 180 °C (350 °F).

▸ Retirer la peau des morceaux de poulet et les assaisonner. Dans une poêle allant au four, faire chauffer l'huile à feu vif. Y faire brunir le poulet sur toutes les faces, pendant 6 minutes.

▸ Ajouter les échalotes, l'ail et les oignons. Mélanger et faire cuire 3 minutes. Mouiller avec le vin et poursuivre la cuisson 2 minutes.

▸ Incorporer les tomates et le basilic ; assaisonner. Couvrir et faire cuire au four 20 minutes. Retirer les poitrines de poulet et les garder au chaud.

▸ Poursuivre la cuisson des autres morceaux de poulet de 10 à 20 minutes, jusqu'à ce qu'ils soient bien cuits.

▸ Entre-temps, faire chauffer le beurre dans une poêle, à feu moyen. Y ajouter les têtes de champignons, les assaisonner et les faire sauter 3 minutes. Les ajouter au poulet, dans le four.

▸ Ajouter les poitrines de poulet réservées, mélanger et servir.

1 portion | Calories 263 | Lipides 15 g | Glucides 15 g | Fibres 3,9 g | Protéines 12 g | Cholestérol 45 mg

Brochettes de poulet

4 portions

1	▸ grosse poitrine de poulet, désossée		
1	▸ courgette, en dés		
1	▸ poivron rouge, en dés		
1	▸ poivron vert, en dés		
20	▸ têtes de champignons frais, nettoyées		
30 ml	▸ huile d'olive	▸ 2 c. à s.	
15 ml	▸ sauce soya	▸ 1 c. à s.	
2	▸ gousses d'ail, pelées, écrasées, hachées		
	▸ sel et poivre fraîchement moulu		
	▸ jus de 1 citron		

▸ Retirer la peau du poulet et le couper en cubes.

▸ Mettre tous les ingrédients dans un grand bol. Mélanger, couvrir et réfrigérer 15 minutes.

▸ Sur des brochettes en métal, enfiler les cubes de poulet et les légumes, en alternant. Bien assaisonner et badigeonner de marinade.

▸ Mettre sous le gril préchauffé du four 12 minutes ; retourner 1 fois pendant la cuisson et badigeonner de marinade.

▸ Servir avec du riz.

1 portion | Calories 156 | Lipides 8 g | Glucides 6 g | Fibres 1,2 g | Protéines 15 g | Cholestérol 37 mg

Poulet à la sauce aux arachides

2 portions

50 ml	▸ beurre d'arachide	▸ ¼ tasse
15 ml	▸ xérès sec	▸ 1 c. à s.
15 ml	▸ sauce teriyaki	▸ 1 c. à s.
25 ml	▸ jus de lime	▸ 1 ½ c. à s.
15 ml	▸ cassonade	▸ 1 c. à s.
1	▸ gousse d'ail, pelée, écrasée, hachée	
75 ml	▸ eau	▸ ⅓ tasse
1	▸ grosse poitrine de poulet, désossée, sans la peau, coupée en deux	
25 ml	▸ huile d'arachide	▸ 1 ½ c. à s.
	▸ sel et poivre fraîchement moulu	
	▸ quelques gouttes de tabasco	

▸ Dans une petite casserole, mélanger le beurre d'arachide, le xérès, la sauce teriyaki, le jus de lime, la cassonade et l'ail. Assaisonner et ajouter quelques gouttes de tabasco.

▸ Ajouter l'eau et porter à ébullition, à feu moyen ; remuer souvent. Retirer la casserole du feu et couvrir pour garder au chaud.

▸ Bien poivrer et saler les deux faces du poulet. Dans une grande poêle de fonte, faire chauffer l'huile à feu moyen.

▸ Dès que l'huile commence à fumer, y ajouter le poulet. Couvrir et faire cuire 5 minutes. Retourner le poulet, couvrir et poursuivre la cuisson de 7 à 8 minutes. Rectifier le temps de cuisson selon la taille des morceaux.

▸ Couper le poulet en fines tranches et les dresser dans des assiettes chauffées. Napper de sauce aux arachides et servir immédiatement. Accompagner d'une macédoine de légumes, si désiré.

Poulet aux noix de cajou et aux poivrons grillés

4 portions

2	▸ poivrons rouges		
2	▸ poitrines de poulet entières, désossées		
2	▸ blancs d'œufs		
30 ml	▸ fécule de maïs	▸ 2 c. à s.	
30 ml	▸ sauce soya	▸ 2 c. à s.	
45 ml	▸ huile d'olive	▸ 3 c. à s.	
175 ml	▸ pousses de bambou tranchées, en conserve, égouttées	▸ ¾ tasse	
125 ml	▸ noix de cajou, séparées en deux	▸ ½ tasse	
3	▸ oignons verts, hachés		
500 ml	▸ bouillon de poulet, chaud	▸ 2 tasses	
30 ml	▸ eau froide	▸ 2 c. à s.	
	▸ sel et poivre fraîchement moulu		

▸ Couper les poivrons en deux et les épépiner. Huiler la peau et les mettre sur une plaque à biscuits, le côté coupé vers le bas ; les faire noircir au four 6 minutes. Sortir du four et laisser refroidir. Peler et trancher la chair en lanières.

▸ Retirer la peau des poitrines de poulet et les couper en lanières de 8 mm (⅓ po) de largeur. Les mettre dans un bol et assaisonner.

▸ Battre les blancs d'œufs avec 15 ml (1 c. à s.) de fécule de maïs et la sauce soya. Verser sur le poulet, mélanger et réfrigérer 10 minutes.

▸ Dans une grande poêle, faire chauffer 30 ml (2 c. à s.) d'huile à feu moyen. Y faire cuire le poulet de 4 à 5 minutes. Le retirer de la poêle et réserver.

▸ Faire chauffer le reste de l'huile dans la poêle. Y faire cuire 2 minutes les poivrons, les pousses de bambou, les noix de cajou et les oignons verts.

▸ Mouiller avec le bouillon de poulet et assaisonner. Délayer le reste de la fécule de maïs dans l'eau froide, puis l'incorporer à la sauce.

▸ Remettre le poulet dans la poêle, mélanger et faire mijoter 3 minutes, à feu doux.

1 portion | Calories 398 | Lipides 22 g | Glucides 16 g | Fibres 1,5 g | Protéines 34 g | Cholestérol 73 mg

Poulet au vin blanc et au gingembre

4 portions

1	▸ poulet de 1,5 kg (3 lb), paré, coupé en huit		
250 ml	▸ farine tout usage	▸ 1 tasse	
45 ml	▸ huile d'olive	▸ 3 c. à s.	
1	▸ concombre, pelé, épépiné, en tranches		
250 g	▸ champignons frais, nettoyés, émincés	▸ ½ lb	
2	▸ échalotes sèches, pelées, hachées		
2	▸ pommes, évidées, pelées, tranchées		
30 ml	▸ gingembre frais haché	▸ 2 c. à s.	
125 ml	▸ vin blanc sec	▸ ½ tasse	
375 ml	▸ bouillon de poulet, chaud	▸ 1 ½ tasse	
15 ml	▸ fécule de maïs	▸ 1 c. à s.	
30 ml	▸ eau froide	▸ 2 c. à s.	
	▸ sel et poivre fraîchement moulu		
	▸ ciboulette fraîche hachée		

▸ Retirer la peau des morceaux de poulet, les assaisonner et les enrober de farine.

▸ Faire chauffer 30 ml (2 c. à s.) d'huile dans une grande poêle, à feu moyen. Y faire brunir les morceaux de poulet sur toutes les faces. Couvrir et faire cuire de 30 à 35 minutes, ou jusqu'à ce que le poulet soit cuit. Dresser dans un plat de service et couvrir de papier d'aluminium.

▸ Faire chauffer le reste de l'huile dans la poêle. Y ajouter le concombre, les champignons et les échalotes. Assaisonner et faire cuire 5 minutes, à feu vif.

▸ Ajouter les pommes et le gingembre ; faire cuire 3 minutes. Mouiller avec le vin blanc et poursuivre la cuisson 2 minutes. Incorporer le bouillon de poulet.

▸ Délayer la fécule de maïs dans l'eau froide ; l'incorporer à la sauce. Assaisonner généreusement et remettre les morceaux de poulet dans la poêle. Laisser mijoter 3 minutes, parsemer de ciboulette et servir.

1 portion | Calories 369 | Lipides 13 g | Glucides 44 g | Fibres 4,6 g | Protéines 14 g | Cholestérol 26 mg

Poulet au prosciutto et gruyère

4 portions

2	▸ poitrines de poulet entières, désossées		
8	▸ tranches de prosciutto		
8	▸ tranches de gruyère		
250 ml	▸ farine tout usage	▸ 1 tasse	
2	▸ œufs, battus avec quelques gouttes d'huile		
250 ml	▸ chapelure	▸ 1 tasse	
30 ml	▸ huile d'arachide	▸ 2 c. à s.	
	▸ sel et poivre fraîchement moulu		

▸ Retirer la peau des poitrines de poulet, les couper en deux et les dégraisser. Avec un maillet de bois, les aplatir à 3 mm (⅛ po) d'épaisseur entre deux feuilles de papier ciré. Assaisonner le poulet.

▸ Garnir chaque poitrine de poulet aplatie de deux tranches de prosciutto et de fromage. Poivrer, rouler, puis aplatir avec une spatule en métal.

▸ Enrober de farine, tremper dans les œufs battus et rouler dans la chapelure. Mettre en une seule couche dans un contenant, couvrir d'une pellicule de plastique et réfrigérer 1 heure.

▸ Préchauffer le four à 200 °C (400 °F).

▸ Dans une grande poêle allant au four, à feu vif, faire chauffer l'huile. Y faire dorer les paupiettes de poulet sur toutes les faces. Poursuivre la cuisson au four 6 minutes. Servir avec du chutney, si désiré.

Poulet aux pommes caramélisées

4 portions

1	▶ poulet de 2 kg (4 lb), paré, coupé en huit	
45 ml	▶ huile d'olive	▶ 3 c. à s.
45 ml	▶ échalotes sèches finement hachées	▶ 3 c. à s.
250 ml	▶ cidre	▶ 1 tasse
125 ml	▶ bouillon de poulet, chaud	▶ ½ tasse
50 ml	▶ beurre	▶ ¼ tasse
4	▶ grosses pommes, évidées, pelées, tranchées	
1 ml	▶ cannelle	▶ ¼ c. à t.
375 ml	▶ crème à 35 %	▶ 1 ½ tasse
	▶ sel et poivre blanc	

▶ Assaisonner les morceaux de poulet. Dans une poêle, faire chauffer l'huile à feu moyen. Y faire sauter les morceaux de poulet 10 minutes, en les retournant souvent. Lorsque le poulet est bien doré, le retirer de la poêle.

▶ Dans la poêle chaude, faire cuire les échalotes à feu moyen, de 2 à 3 minutes. Mouiller avec le cidre et le bouillon de poulet ; poursuivre la cuisson 2 minutes.

▶ Remettre le poulet dans la poêle, couvrir et faire cuire 20 minutes, à feu doux. Rectifier le temps de cuisson selon la taille des morceaux. À mi-cuisson, retirer les poitrines de poulet et les réserver au chaud.

▶ Pendant que le reste du poulet cuit, faire fondre le beurre dans une autre poêle, à feu moyen. Y ajouter les pommes et la cannelle. Faire cuire de 15 à 18 minutes, en remuant de temps à autre. Dès que les pommes sont caramélisées, les retirer de la poêle et réserver.

▶ Lorsque les morceaux de poulet sont cuits, les mettre dans un plat chaud.

▶ Poser sur le feu la poêle contenant le liquide de cuisson. Dégraisser, puis faire cuire de 3 à 4 minutes, à feu vif. Incorporer la crème, baisser le feu à doux et faire cuire de 2 à 3 minutes, jusqu'à ce que la sauce épaississe.

▶ Remettre tout le poulet dans la sauce et laisser mijoter 5 minutes, en l'arrosant souvent.

▶ Dresser le poulet dans un plat de service. Garnir des pommes caramélisées, napper de sauce et servir.

1 portion | Calories 666 | Lipides | 54 g | Glucides 33 g | Fibres 2,7 g | Protéines 12 g | Cholestérol 175 mg

Cuisses de poulet au paprika

4 portions

4	▸ cuisses de poulet		
125 ml	▸ farine tout usage	▸ ½ tasse	
45 ml	▸ huile d'olive	▸ 3 c. à s.	
1	▸ oignon espagnol, pelé, tranché		
15 ml	▸ paprika	▸ 1 c. à s.	
4	▸ tomates, pelées, épépinées, hachées		
3	▸ gousses d'ail, pelées, écrasées, hachées		
375 ml	▸ bouillon de poulet, chaud	▸ 1 ½ tasse	
30 ml	▸ basilic frais haché	▸ 2 c. à s.	
	▸ sel et poivre fraîchement moulu		

▸ Couper les cuisses de poulet à l'articulation, entre le haut de la cuisse et le pilon. Retirer la peau, bien assaisonner chacun des morceaux et les enrober de farine.

▸ Dans une casserole allant au four, faire chauffer 30 ml (2 c. à s.) d'huile, à feu moyen. Y faire brunir les morceaux de poulet sur toutes les faces, pendant 8 minutes. Retirer le poulet et réserver.

▸ Faire chauffer le reste de l'huile dans la casserole. Y faire cuire l'oignon 10 minutes, à feu doux. Saupoudrer de paprika, mélanger et poursuivre la cuisson 2 minutes.

▸ Préchauffer le four à 180 °C (350 °F).

▸ Ajouter les tomates et l'ail ; assaisonner. Faire cuire 4 minutes.

▸ Mouiller avec le bouillon et remettre le poulet dans la casserole. Ajouter le basilic et assaisonner. Couvrir partiellement et poursuivre la cuisson au four 35 minutes, ou jusqu'à ce que le poulet soit cuit.

▸ Dresser le poulet dans un plat de service ; le couvrir de papier d'aluminium.

▸ Mettre la casserole sur le feu, à vif. Faire cuire la sauce pendant 4 minutes, la verser sur le poulet et servir.

1 portion | Calories 395 | Lipides 19 g | Glucides 26 g | Fibres 3,3 g | Protéines 30 g | Cholestérol 89 mg

Poulet à la dijonnaise

4 portions

30 ml	▸ beurre	2 c. à s.	
5 ml	▸ huile d'olive	1 c. à t.	
1	▸ grosse poitrine de poulet, divisée en deux, désossée, sans la peau		
4	▸ oignons verts, hachés		
125 ml	▸ vin blanc sec	½ tasse	
250 ml	▸ sauce béchamel, chaude (voir p. 157)	1 tasse	
5 ml	▸ estragon frais haché	1 c. à t.	
5 ml	▸ moutarde forte	1 c. à t.	
	▸ sel et poivre fraîchement moulu		

▸ Dans une poêle, faire chauffer le beurre et l'huile à feu moyen. Y faire cuire le poulet et les oignons verts 12 minutes. Assaisonner deux fois pendant la cuisson. Ne pas faire brûler les oignons.

▸ Lorsque le poulet est cuit, le retirer de la poêle et le garder au chaud.

▸ Verser le vin dans la poêle et faire cuire 2 minutes, à feu vif. Incorporer la sauce béchamel et l'estragon; assaisonner et laisser mijoter 4 minutes.

▸ Incorporer la moutarde, remettre le poulet dans la poêle et laisser mijoter 3 minutes, à feu doux. Servir.

Poulet braisé au brandy

4 portions

1 portion | Calories 208 | Lipides 12 g | Glucides 8 g | Fibres 2,2 g | Protéines 12 g | Cholestérol 52 mg

1	▸ poulet de 2 kg (4 lb)		
45 ml	▸ beurre	▹ 3 c. à s.
50 ml	▸ brandy	▹ ¼ tasse
2	▸ échalotes sèches, pelées, hachées	
250 g	▸ champignons frais, nettoyés, en dés	▹ ½ lb
5 ml	▸ estragon	▹ 1 c. à t.
30 ml	▸ farine tout usage	▹ 2 c. à s.
375 ml	▸ bouillon de poulet, chaud	▹ 1 ½ tasse
125 ml	▸ porto	▹ ½ tasse
15 ml	▸ persil frais haché	▹ 1 c. à s.
	▸ sel et poivre fraîchement moulu	

▸ Préchauffer le four à 180 °C (350 °F). Assaisonner l'intérieur du poulet, puis le fermer avec de la ficelle de cuisine.

▸ Dans une grande casserole allant au four, faire chauffer le beurre à feu moyen. Y faire saisir le poulet sur toutes les faces ; bien l'assaisonner.

▸ Arroser de brandy et faire flamber dans un endroit sûr. Couvrir, mettre au four et faire cuire de 1 h 15 à 1 h 30. Tourner le poulet sur chacune des faces pendant la cuisson.

▸ Lorsque le poulet est cuit, le retirer de la casserole et le réserver sous une tente de papier d'aluminium.

▸ Mettre la casserole sur feu moyen. Y ajouter les échalotes, les champignons et l'estragon ; faire cuire 4 minutes.

▸ Saupoudrer de farine et bien mélanger. Au fouet, incorporer le bouillon de poulet ; ajouter le porto et faire cuire 4 minutes.

▸ Découper le poulet, le parsemer de persil et le servir avec la sauce.

Fricassée de poulet

4 portions

30 ml	▸ huile d'olive	▸ 2 c. à s.	
2	▸ oignons, pelés, en dés		
2	▸ gousses d'ail, pelées, tranchées		
4	▸ cuisses de poulet, sans la peau, désossées, en dés		
4	▸ pommes de terre, pelées, en dés		
1	▸ poivron rouge, en dés		
625 ml	▸ bouillon de poulet, chaud	▸ 2 ½ tasses	
15 ml	▸ basilic haché	▸ 1 c. à s.	
1	▸ pincée de paprika		
	▸ sel et poivre fraîchement moulu		
	▸ persil frais haché		

▸ Dans une grande poêle, faire chauffer l'huile à feu moyen. Y faire cuire les oignons et l'ail 6 minutes.

▸ Ajouter le poulet et assaisonner. Baisser le feu à doux, couvrir partiellement et faire cuire 10 minutes. Remuer de temps à autre pendant la cuisson.

▸ Bien incorporer le reste des ingrédients, sauf le persil et le paprika. Rectifier l'assaisonnement et ajouter le paprika. Faire cuire 15 minutes à feu doux, ou jusqu'à ce que les pommes de terre soient cuites.

▸ Parsemer de persil et servir.

1 portion | Calories 375 | Lipides 15 g | Glucides 30 g | Fibres 3,7 g | Protéines 30 g | Cholestérol 89 mg

Chow-mein au poulet

4 portions

2	▸ poitrines de poulet, désossées	
45 ml	▸ huile d'olive	▸ 3 c. à s.
4	▸ échalotes sèches, pelées, émincées	
1	▸ branche de céleri, émincée	
1	▸ gousse d'ail, pelée, émincée	
250 ml	▸ chou chinois ciselé	▸ 1 tasse
375 ml	▸ fèves germées	▸ 1 ½ tasse
375 ml	▸ bouillon de poulet, chaud	▸ 1 ½ tasse
15 ml	▸ fécule de maïs	▸ 1 c. à s.
30 ml	▸ eau froide	▸ 2 c. à s.
30 ml	▸ sauce soya	▸ 2 c. à s.
	▸ sel et poivre fraîchement moulu	

▸ Retirer la peau des poitrines de poulet et les couper en lanières de 8 mm (⅓ po) de largeur. Dans une poêle, faire chauffer 30 ml (2 c. à s.) d'huile à feu moyen. Y ajouter le poulet, assaisonner et faire revenir 4 minutes. Le retirer de la poêle et réserver.

▸ Faire chauffer le reste de l'huile dans la poêle. À feu moyen, y faire cuire de 4 à 5 minutes les échalotes, le céleri, l'ail et le chou chinois.

▸ Ajouter les fèves germées, poivrer et poursuivre la cuisson 2 minutes.

▸ Mouiller avec le bouillon de poulet. Délayer la fécule de maïs dans l'eau froide, puis l'incorporer à la préparation dans la poêle.

▸ Faire chauffer le reste de l'huile dans la poêle. Y faire cuire 2 minutes les poivrons, les pousses de bambou, les noix de cajou et les oignons verts.

▸ Mouiller avec le bouillon de poulet et assaisonner. Délayer le reste de la fécule de maïs dans l'eau froide, puis l'incorporer à la sauce.

▸ Remettre le poulet dans la poêle, mélanger et faire mijoter 3 minutes, à feu doux. Servir.

Pilaf de poulet

4 portions

2	feuilles de laurier		
1	branche de thym frais		
2	brins de persil frais		
50 ml	huile d'olive	¼ tasse
1	poulet de 2 kg (4 lb) paré, coupé en huit, sans la peau		
2	oignons, pelés, hachés		
1	branche de céleri, hachée		
3	gousses d'ail, pelées, écrasées, hachées		
1	poivron vert, en dés		
1	poivron rouge, en dés		
4	grosses tomates, pelées, épépinées, hachées		
500 ml	riz à grains longs, rincé	2 tasses
500 ml	bouillon de poulet, chaud	2 tasses
2 ml	safran	½ c. à t.
250 ml	petits pois surgelés	1 tasse
50 ml	poivron rouge, émincé	¼ tasse
	sel et poivre fraîchement moulu		

- Préchauffer le four à 180 °C (350 °F).

- Réunir les feuilles de laurier, le thym et le persil dans une mousseline nouée avec une ficelle.

- Dans une grande poêle allant au four, faire chauffer la moitié de l'huile à feu moyen. Y faire cuire le poulet 10 minutes, jusqu'à ce que les morceaux soient dorés sur toutes les faces. Assaisonner pendant la cuisson. Retirer de la poêle et réserver.

- Verser le reste de l'huile dans la poêle chaude. Y faire cuire les oignons, le céleri et l'ail 3 minutes, à feu moyen. Ajouter les poivrons et faire cuire 3 minutes.

- Incorporer les tomates, assaisonner et faire cuire 4 minutes. Ajouter le riz, le bouillon de poulet et les fines herbes nouées. Remettre le poulet dans la poêle et ajouter le safran. Bien mélanger, assaisonner et porter à ébullition.

- Couvrir et faire cuire au four 10 minutes. Retirer les poitrines de poulet et poursuivre la cuisson des autres morceaux de poulet 5 minutes.

- Ajouter les petits pois, le poivron rouge émincé et les poitrines de poulet ; faire cuire 5 minutes, retirer les fines herbes et servir.

1 portion | Calories 482 | Lipides 14 g | Glucides 70 g | Fibres 7,5 g | Protéines 19 g | Cholestérol 28 mg

Vol-au-vent
à la dinde

4 portions

30 ml	▸ beurre	▸	2 c. à s.
4	▸ oignons verts, hachés		
250 g	▸ champignons frais, nettoyés, en dés	▸	½ lb
1	▸ poivron rouge, en dés		
3	▸ gousses d'ail, blanchies, en purée		
500 ml	▸ dinde cuite, en dés	▸	2 tasses
500 ml	▸ sauce béchamel (voir p. 157)	▸	2 tasses
1	▸ pincée de muscade		
30 ml	▸ parmesan râpé	▸	2 c. à s.
8	▸ petits vol-au-vent		
	▸ sel et poivre fraîchement moulu		
	▸ persil frais haché		

▸ Faire chauffer le beurre dans une casserole, à feu moyen. Ajouter les oignons verts et les champignons ; assaisonner. Faire cuire 4 minutes.

▸ Ajouter le poivron et l'ail ; mélanger. Incorporer la dinde et la sauce béchamel. Laisser mijoter 4 minutes, à feu doux. Rectifier l'assaisonnement, ajouter la muscade et le fromage ; mélanger.

▸ Entre-temps, faire chauffer les vol-au-vent au four.

▸ Garnir les vol-au-vent de la préparation et parsemer de persil avant de servir.

1 portion | Calories 443 | Lipides 27 g | Glucides 23 g | Fibres 3,1 g | Protéines 27 g | Cholestérol 93 mg

Pâté au poulet et aux légumes

4 portions

1	▸ branche de céleri	
1	▸ branche de thym frais	
2	▸ brins de persil frais	
2	▸ grosses poitrines de poulet, sans la peau	
2	▸ grosses carottes, pelées, en julienne de 2 cm ($^3/_4$ po) de long	
2	▸ pommes de terre, pelées, en gros dés	
24	▸ petits oignons blancs, pelés	
250 g	▸ têtes de champignons frais, nettoyées	▸ $^1/_2$ lb
60 ml	▸ beurre	▸ 4 c. à s.
60 ml	▸ farine tout usage	▸ 4 c. à s.
	▸ sel et poivre fraîchement moulu	
	▸ pâte à tarte	

▸ Préchauffer le four à 190 °C (375 °F).

▸ Ficeler la branche de céleri et les fines herbes. Les mettre dans une grande casserole avec le poulet et les légumes. Couvrir avec 1,5 litre d'eau (6 tasses) ; assaisonner et porter à ébullition.

▸ Baisser le feu à doux et faire cuire le poulet 25 minutes. Rectifier le temps de cuisson au besoin. Vérifier régulièrement le degré de cuisson des légumes, les retirer de la casserole dès qu'ils sont cuits et les réserver sous une tente de papier d'aluminium.

▸ Lorsque le poulet est cuit, l'égoutter, le laisser refroidir, le désosser et le détailler en cubes. Filtrer le bouillon et en réserver 875 ml (3 $^1/_2$ tasses).

▸ Faire chauffer le beurre dans une casserole, à feu moyen. Saupoudrer de farine et bien mélanger. Faire cuire 30 secondes, à feu doux.

▸ Au fouet, incorporer le bouillon réservé ; assaisonner et laisser mijoter 6 minutes.

▸ Incorporer le poulet et les légumes à la sauce. Verser dans un plat allant au four. Couvrir de pâte à tarte et pratiquer quelques fentes sur le dessus. Faire cuire au four 20 minutes et servir.

1 portion | Calories 551 | Lipides 27 g | Glucides 45 g | Fibres 4,7 g | Protéines 32 g | Cholestérol 117 mg

Poulet au cari
et à la noix de coco

4 portions

250 ml	▸ bouillon de poulet, chaud	▸ 1 tasse	
50 ml	▸ noix de coco, fraîchement râpée	▸ ¼ tasse	
1	▸ poulet de 1,5 kg (3 lb), coupé en huit, sans la peau		
45 ml	▸ huile d'olive	▸ 3 c. à s.	
2	▸ oignons, pelés, en dés		
15 ml	▸ coriandre	▸ 1 c. à s.	
5 ml	▸ cumin moulu	▸ 1 c. à t.	
15 ml	▸ assaisonnement au chili	▸ 1 c. à s.	
5 ml	▸ curcuma	▸ 1 c. à t.	
3	▸ tomates, pelées, épépinées, hachées		
45 ml	▸ amandes grillées	▸ 3 c. à s.	
	▸ sel et poivre fraîchement moulu		

▸ Verser le bouillon de poulet sur la noix de coco ; laisser reposer 10 minutes. Égoutter au-dessus d'un bol pour réserver le liquide. Presser la noix de coco pour en exprimer tout le liquide, puis la jeter.

▸ Bien assaisonner les morceaux de poulet. Dans une grande poêle, faire chauffer la moitié de l'huile à feu moyen. Y faire cuire le poulet 12 minutes, ou jusqu'à ce qu'il soit doré sur toutes les faces. Retirer le poulet de la poêle et réserver.

▸ Verser le reste de l'huile dans la poêle. Y faire cuire les oignons 3 minutes, à feu doux. Ajouter tous les assaisonnements, mélanger et poursuivre la cuisson 2 minutes.

▸ Incorporer le bouillon de poulet réservé. Ajouter les tomates, et le poulet réservé ; assaisonner. Couvrir et faire cuire 35 minutes, à feu doux.

▸ Ajouter les amandes et servir.

1 portion | Calories 257 | Lipides 17 g | Glucides 14 g | Fibres 2,9 g | Protéines 12 g | Cholestérol 26 mg

Poulet au chou et à la sauce soya

4 portions

1	▶ poulet de 1,5 kg (3 lb) paré, coupé en huit		
45 ml	▶ huile d'olive	▶ 3 c. à s.	
½	▶ oignon rouge, tranché, défait en anneaux		
375 ml	▶ chou chinois ciselé	▶ 1 ½ tasse	
1	▶ poivron jaune, tranché		
1	▶ poivron vert, tranché		
2	▶ gousses d'ail, pelées, écrasées, hachées		
30 ml	▶ sauce soya	▶ 2 c. à s.	
	▶ sel et poivre fraîchement moulu		

▶ Retirer la peau des morceaux de poulet et les désosser. Couper la chair en cubes de 2,5 cm (1 po). Poivrer.

▶ Dans une grande poêle, faire chauffer 30 ml (2 c. à s.) d'huile, à feu moyen. Y faire revenir les morceaux de poulet de 4 à 5 minutes. Les retirer et réserver.

▶ Faire chauffer le reste de l'huile dans la poêle. Y faire cuire les légumes et l'ail pendant 6 minutes, à feu vif. Assaisonner.

▶ Remettre le poulet dans la poêle et l'arroser de sauce soya. Mélanger et faire cuire 2 minutes, à feu moyen. Rectifier l'assaisonnement et servir.

Escalopes de veau au citron

4 portions

4	▸ grandes escalopes de veau	
30 ml	▸ huile d'olive	▸ 2 c. à s.
30 ml	▸ beurre	▸ 2 c. à s.
250 g	▸ champignons frais, nettoyés, tranchés	▸ ½ lb
15 ml	▸ farine tout usage	▸ 1 c. à s.
125 ml	▸ bouillon de poulet, chaud	▸ ½ tasse
15 ml	▸ persil frais haché	▸ 1 c. à s.
	▸ sel et poivre fraîchement moulu	
	▸ jus de 1 citron fraîchement pressé	

▸ Détailler les escalopes en quatre ; assaisonner.

▸ Faire chauffer l'huile dans une grande poêle, à feu vif. Y faire saisir les escalopes de veau 1 minute d'un côté et 30 secondes de l'autre ; les retirer de la poêle et réserver.

▸ Faire fondre le beurre dans la poêle chaude. Ajouter les champignons ; assaisonner. Faire cuire 4 minutes, à feu vif.

▸ Saupoudrer de farine et bien mélanger. Ajouter le jus de citron et le bouillon. Mélanger pour incorporer et faire cuire la sauce 2 minutes.

▸ Remettre le veau dans la poêle et le parsemer de persil. Retirer la poêle du feu et laisser reposer quelques instants pour réchauffer le veau. Servir immédiatement.

1 portion | Calories 336 | Lipides 20 g | Glucides 6 g | Fibres 1,9 g | Protéines 33 g | Cholestérol 141 mg

Médaillons de veau, sauce au vin blanc

4 portions

4	▶ médaillons de veau de 2,5 cm (1 po) d'épaisseur		
45 ml	▶ beurre	▶	3 c. à s.
15 ml	▶ huile d'olive	▶	1 c. à s.
2	▶ échalotes sèches, pelées, hachées		
250 g	▶ champignons frais, nettoyés, tranchés	▶	½ lb
125 ml	▶ vin blanc sec	▶	½ tasse
15 ml	▶ persil frais haché	▶	1 c. à s.
45 ml	▶ crème sure	▶	3 c. à s.
	▶ sel et poivre fraîchement moulu		

▶ Placer les médaillons de veau entre deux feuilles de papier ciré, les aplatir légèrement et les assaisonner généreusement.

▶ Dans une poêle, à feu moyen, faire chauffer 30 ml (2 c. à s.) de beurre et l'huile. Y faire cuire le veau de 3 à 4 minutes. Rectifier le temps de cuisson au besoin. Retourner une fois pendant la cuisson et assaisonner.

▶ Lorsque le veau est cuit, le retirer de la poêle et le garder au chaud.

▶ Faire fondre le reste du beurre dans la poêle chaude. Y ajouter les échalotes et les champignons ; assaisonner et faire cuire 4 minutes, à feu vif.

▶ Incorporer le vin et le persil ; faire cuire 2 minutes. Retirer la poêle du feu et incorporer la crème sure. Verser sur le veau et servir.

Côtelettes de veau aux tomates et à l'oignon

4 portions

30 ml	▸ huile d'olive	▸ 2 c. à s.
4	▸ côtelettes de veau de 2 cm ($^3/_4$ po) d'épaisseur, dégraissées	
15 ml	▸ beurre	▸ 1 c. à s.
1	▸ oignon, pelé, haché	
2	▸ gousses d'ail, pelées, écrasées, hachées	
2	▸ échalotes sèches, pelées, hachées	
30 ml	▸ farine tout usage	▸ 2 c. à s.
2	▸ grosses tomates, pelées, épépinées, en dés	
250 ml	▸ bouillon de poulet, chaud	▸ 1 tasse
15 ml	▸ basilic frais haché	▸ 1 c. à s.
	▸ sel et poivre fraîchement moulu	

▸ Dans une poêle, faire chauffer la moitié de l'huile à feu vif. Y faire revenir les côtelettes 2 minutes d'un côté. Les retourner, assaisonner et faire cuire 2 minutes. Rectifier l'assaisonnement et baisser le feu à moyen. Poursuivre la cuisson de 5 à 6 minutes. Rectifier le temps de cuisson au besoin. Retirer de la poêle et réserver au chaud.

▸ Ajouter le reste de l'huile et le beurre dans la poêle chaude. Y faire cuire l'oignon, l'ail et les échalotes, 2 minutes. Saupoudrer de farine, mélanger et faire cuire 1 minute.

▸ Ajouter les tomates, le bouillon et le basilic. Assaisonner et faire cuire 8 minutes, à feu doux.

▸ Mettre le veau dans la sauce et laisser mijoter 3 minutes. Servir avec des pâtes.

Viande

Osso buco

4 portions

8	▸ tranches de jarret de veau de 2 cm (³/₄ po) d'épaisseur		
250 ml	▸ farine tout usage	▸ 1 tasse
45 ml	▸ huile d'olive	▸ 3 c. à s.
3	▸ échalotes sèches, pelées, hachées	
1	▸ oignon, pelé, haché	
3	▸ gousses d'ail, pelées, émincées	
250 ml	▸ vin blanc sec	▸ 1 tasse
4	▸ grosses tomates, pelées, épépinées, hachées	
1	▸ branche de thym frais	
12	▸ feuilles de basilic frais	
2	▸ brins de persil frais	
1	▸ feuille de laurier	
250 ml	▸ bouillon de poulet, chaud	▸ 1 tasse
1	▸ pincée de piments forts broyés	
	▸ sel et poivre fraîchement moulu	

▸ Préchauffer le four à 180 °C (350 °F).

▸ Bien assaisonner la viande et l'enrober de farine. Dans une grande casserole allant au four, faire chauffer l'huile à feu moyen-vif. Y faire saisir la viande sur toutes les faces. Retirer la viande et réserver.

▸ Ajouter les échalotes, l'oignon et l'ail ; faire cuire 2 minutes. Mouiller avec le vin et poursuivre la cuisson 2 minutes.

▸ Incorporer les tomates et tous les assaisonnements. Remettre la viande dans la casserole et ajouter le bouillon. Mélanger, couvrir et faire cuire au four de 1 h 30 à 2 h.

▸ Lorsque la viande est cuite, la dresser dans un plat de service ; garder au chaud.

▸ Mettre la casserole sur feu vif et faire cuire la sauce 12 minutes.

▸ Remettre la viande dans la casserole, laisser mijoter 3 minutes et servir.

1 portion | Calories 661 | Lipides 21 g | Glucides 35 g | Fibres 3,2 g | Protéines 78 g | Cholestérol 270 mg

Blanquette de veau

4 portions

1,25 kg	▶ épaule de veau, en cubes de 2 cm (¾ po)	▶ 2 ½ lb	
1	▶ oignon, pelé, piqué de clous de girofle		
2	▶ carottes, pelées, coupées en trois		
2	▶ blancs de poireau, lavés		
1	▶ branche de thym frais		
2	▶ brins de persil		
60 ml	▶ beurre	▶ 4 c. à s.	
24	▶ petits oignons blancs, pelés		
250 g	▶ champignons frais, nettoyés, en dés	▶ ½ lb	
2	▶ échalotes sèches, pelées, hachées		
60 ml	▶ farine tout usage	▶ 4 c. à s.	
30 ml	▶ basilic frais haché	▶ 2 c. à s.	
	▶ sel et poivre fraîchement moulu		

▶ Mettre le veau dans une grande casserole. Le couvrir d'eau froide et porter à ébullition. Faire cuire 15 minutes, en écumant continuellement.

▶ Lorsque le liquide est clair, ajouter l'oignon, les carottes, les blancs de poireau et les fines herbes. Bien assaisonner et faire cuire 40 minutes, à feu doux.

▶ Lorsque le veau est tendre, le retirer de la casserole et réserver. Filtrer le liquide de cuisson ; en réserver 750 ml (3 tasses).

▶ Dans une casserole, faire chauffer le beurre à feu moyen, puis y faire cuire les petits oignons blancs 10 minutes.

▶ Ajouter les champignons et les échalotes ; bien assaisonner. Faire cuire 4 minutes.

▶ Saupoudrer de farine et mélanger. Incorporer le liquide de cuisson réservé et faire cuire 4 minutes.

▶ Mettre la viande dans la sauce, ajouter le basilic et faire mijoter 4 minutes. Servir.

1 portion | Calories 586 | Lipides 26 g | Glucides 26 g | Fibres 5,2 g | Protéines 62 g | Cholestérol 285 mg

Côtelettes de porc au miel et aux pommes

4 portions

4	▶ côtelettes de porc de 2 cm (¾ po) d'épaisseur, dégraissées		
30 ml	▶ huile d'olive	▶ 2 c. à s.	
3	▶ pommes, évidées, pelées, en tranches épaisses		
30 ml	▶ miel	▶ 2 c. à s.	
15 ml	▶ persil frais haché	▶ 1 c. à s.	
	▶ sel et poivre fraîchement moulu		

▶ Poivrer les côtelettes de porc.

▶ Faire chauffer la moitié de l'huile dans une poêle, à feu moyen. Y faire revenir les côtelettes de porc, de 3 à 4 minutes de chaque côté. Assaisonner généreusement et baisser le feu à doux. Couvrir et faire cuire 12 minutes. Rectifier le temps de cuisson selon l'épaisseur des côtelettes.

▶ Retirer les côtelettes de la poêle et les réserver au chaud.

▶ Verser le reste de l'huile dans la poêle chaude. Ajouter les pommes, le miel et le persil ; assaisonner. Faire cuire de 6 à 7 minutes.

▶ Servir les pommes sur les côtelettes de porc.

1 portion | Calories 304 | Lipides 16 g | Glucides 23 g | Fibres 1,9 g | Protéines 17 g | Cholestérol 40 mg

Porc aux poivrons grillés

4 portions

1	▸ poivron vert
1	▸ poivron rouge
1	▸ poivron jaune
30 ml	▸ huile d'olive
4	▸ côtelettes de porc de 2 cm (³/₄ po) d'épaisseur chacune, dégraissées
4	▸ gousses d'ail, pelées, écrasées, hachées
15 ml	▸ basilic frais haché
	▸ sel et poivre fraîchement moulu

▸ 2 c. à s.

▸ 1 c. à s.

▸ Préchauffer le gril du four.

▸ Couper les poivrons en deux et les épépiner. Huiler la peau et les placer sur une plaque à biscuits, le côté coupé vers le bas. Les faire noircir au four 6 minutes. Sortir du four et laisser refroidir. Peler et trancher.

▸ Faire chauffer le reste de l'huile dans une grande poêle, à feu moyen. Y faire revenir les côtelettes de 3 à 4 minutes de chaque côté.

▸ Ajouter le reste des ingrédients, y compris les poivrons réservés. Couvrir et poursuivre la cuisson de 10 à 15 minutes à feu doux. Servir.

1 portion | Calories 232 | Lipides 16 g | Glucides 4 g | Fibres 0,9 g | Protéines 18 g | Cholestérol 40 mg

Filets de porc à l'ananas

4 portions

2	▸ filets de porc, dégraissés	
45 ml	▸ huile d'olive	▸ 3 c. à s.
1	▸ poivron vert, en tranches épaisses	
1	▸ poivron rouge, en tranches épaisses	
3	▸ échalotes sèches, pelées, émincées	
2	▸ gousses d'ail, pelées, émincées	
4	▸ rondelles d'ananas, en dés	
50 ml	▸ jus d'ananas	▸ ¼ tasse
500 ml	▸ bouillon de poulet, chaud	▸ 2 tasses
15 ml	▸ sauce soya	▸ 1 c. à s.
25 ml	▸ fécule de maïs	▸ 1 ½ c. à s.
30 ml	▸ eau froide	▸ 2 c. à s.
	▸ sel et poivre fraîchement moulu	

▸ Trancher la viande en lanières d'environ 1 cm (½ po) de large.

▸ Faire chauffer 15 ml (1 c. à s.) d'huile dans une grande poêle, à feu moyen. Y faire revenir la moitié de la viande, 2 minutes de chaque côté. Assaisonner pendant la cuisson. Répéter l'opération avec le reste de la viande.

▸ Verser le reste de l'huile dans la poêle chaude. Ajouter les poivrons, les échalotes et l'ail ; assaisonner. Faire cuire 4 minutes, à feu moyen.

▸ Ajouter les dés d'ananas et faire cuire 3 minutes.

▸ Incorporer le jus d'ananas, le bouillon et la sauce soya. Mélanger et faire cuire 3 minutes.

▸ Délayer la fécule de maïs dans l'eau froide ; l'incorporer à la sauce. Remettre la viande dans la poêle et laisser mijoter 2 minutes. Servir.

1 portion | Calories 376 | Lipides 20 g | Glucides 14 g | Fibres 1,5 g | Protéines 35 g | Cholestérol 82 mg

Filets de porc, sauce bordelaise

4 portions

2	▸ filets de porc, dégraissés	
30 ml	▸ huile d'olive	▸ 2 c. à s.
100 g	▸ bacon, en petits morceaux	▸ 3 ½ oz
2	▸ échalotes sèches, pelées, hachées	
250 g	▸ champignons frais, nettoyés, coupés en quatre	▸ ½ lb
2	▸ gousses d'ail, pelées, tranchées	
1 ml	▸ thym	▸ ¼ c. à t.
15 ml	▸ basilic frais	▸ 1 c. à s.
30 ml	▸ farine tout usage	▸ 2 c. à s.
250 ml	▸ vin rouge sec	▸ 1 tasse
250 ml	▸ bouillon de bœuf, chaud	▸ 1 tasse
	▸ sel et poivre fraîchement moulu	

▸ Préchauffer le four à 180 °C (350 °F).

▸ Dans une poêle, faire chauffer l'huile à feu moyen-vif. Y faire saisir le porc sur toutes les faces. Le retirer de la poêle et réserver. Baisser le feu à moyen.

▸ Dans la poêle chaude, faire cuire le bacon 3 minutes. Ajouter les échalotes, les champignons, l'ail et les assaisonnements. Faire cuire 2 minutes.

▸ Saupoudrer de farine et bien mélanger. Incorporer le vin et le bouillon. Bien assaisonner.

▸ Remettre le porc dans la poêle, couvrir et faire cuire au four, de 30 à 40 minutes. Rectifier le temps de cuisson au besoin. Trancher et servir.

Côtelettes d'agneau aux tomates fraîches

4 portions

8	▸ côtelettes d'agneau, dégraissées		
30 ml	▸ huile d'olive	2 c. à s.	
4	▸ grosses tomates, pelées, épépinées, hachées		
2	▸ gousses d'ail, pelées, écrasées, hachées		
15 ml	▸ basilic frais haché	1 c. à s.	
15 ml	▸ persil frais haché	1 c. à s.	
	▸ sel et poivre fraîchement moulu		

▸ Bien assaisonner les côtelettes d'agneau.

▸ Faire chauffer la moitié de l'huile dans une grande poêle, à feu moyen. Y ajouter les tomates, l'ail, le basilic et le persil. Assaisonner et faire cuire 15 minutes, à feu doux.

▸ Faire chauffer le reste de l'huile dans une autre poêle, à feu moyen. Y faire cuire les côtelettes de 3 à 4 minutes de chaque côté. Rectifier le temps de cuisson au besoin.

▸ Servir les côtelettes d'agneau avec la sauce aux tomates fraîches.

1 portion | Calories 321 | Lipides 17 g | Glucides 6 g | Fibres 3,5 g | Protéines 36 g | Cholestérol 136 mg

Gigot d'agneau avec pommes de terre

4 à 6 portions

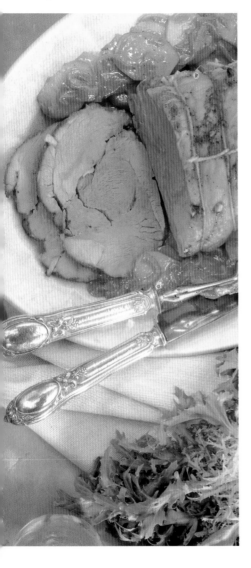

1	▸ gigot d'agneau de 2 à 2,5 kg (4 à 5 lb), désossé, paré	
3	▸ gousses d'ail, pelées, tranchées en trois	
30 ml	▸ huile d'olive	▸ 2 c. à s.
1	▸ gros oignon espagnol, pelé, tranché	
5	▸ pommes de terre, pelées, tranchées	
	▸ sel et poivre fraîchement moulu	

- ▸ Préchauffer le four à 230 °C (450 °F).

- ▸ Pratiquer plusieurs petites incisions dans la viande et insérer un morceau d'ail dans chacune.

- ▸ Faire chauffer l'huile dans une rôtissoire, à feu moyen. Y faire cuire l'oignon 6 minutes, à feu doux. Ajouter les pommes de terre et assaisonner.

- ▸ Déposer le gigot sur les légumes et le faire saisir 15 minutes au four. L'assaisonner généreusement et baisser la température du four à 180 °C (350 °F). Poursuivre la cuisson en calculant 12 minutes par 500 g (1 lb), en comptant les 15 premières minutes.

- ▸ Lorsque la viande est cuite, la laisser reposer 10 minutes avant de la couper. Servir avec les pommes de terre.

Viande

Ragoût d'agneau

4 portions

60 ml	▶ huile d'olive	▶ 4 c. à s.	
1,5 kg	▶ épaule d'agneau, en cubes	▶ 3 lb	
2	▶ gousses d'ail, pelées, écrasées, hachées		
1	▶ oignon, pelé, haché		
75 ml	▶ farine tout usage	▶ 5 c. à s.	
1 litre	▶ bouillon de poulet, chaud	▶ 4 tasses	
3	▶ tomates, pelées, épépinées, hachées		
30 ml	▶ basilic frais haché	▶ 2 c. à s.	
2 ml	▶ thym séché	▶ ½ c. à t.	
1	▶ feuille de laurier		
1	▶ petit oignon rouge, pelé, en dés		
1	▶ branche de céleri, en tranches		
2	▶ carottes, pelées, en rondelles		
3	▶ pommes de terre, pelées, en dés		
	▶ sel et poivre fraîchement moulu		

▶ Préchauffer le four à 180 °C (350 °F).

▶ Dans une grande casserole allant au four, faire chauffer l'huile à feu moyen-vif. Y faire saisir l'agneau sur toutes les faces.

▶ Baisser le feu à moyen. Ajouter l'ail et l'oignon haché ; faire cuire 3 minutes.

▶ Saupoudrer de farine et bien mélanger. Faire cuire à feu doux, jusqu'à ce que la farine brunisse légèrement.

▶ Incorporer le bouillon et les tomates. Ajouter les assaisonnements ; mélanger. Porter à ébullition, couvrir et faire cuire au four, 40 minutes.

▶ Ajouter l'oignon rouge, le céleri et les carottes. Couvrir et poursuivre la cuisson 30 minutes.

▶ Ajouter les pommes de terre et poursuivre la cuisson 15 minutes, ou plus, au besoin. Servir.

1 portion | Calories 982 | Lipides 54 g | Glucides 32 g | Fibres 7,0 g | Protéines 92 g | Cholestérol 317 mg

Bœuf à la sauce aux champignons

4 portions

45 ml	▸ huile d'olive	▸ 3 c. à s.
3	▸ échalotes sèches, pelées, hachées	
2	▸ gousses d'ail, pelées, tranchées	
250 g	▸ champignons frais, nettoyés, tranchés	▸ ½ lb
30 ml	▸ vinaigre balsamique	▸ 2 c. à s.
375 ml	▸ sauce au jus de viande, chaude	▸ 1 ½ tasse
5 ml	▸ pâte de tomates	▸ 1 c. à t.
4	▸ steaks de surlonge de 225 g (8 oz) chacun, dégraissés	
15 ml	▸ persil frais haché	▸ 1 c. à s.
	▸ sel et poivre fraîchement moulu	

▸ Faire chauffer 30 ml (2 c. à s.) d'huile dans une grande poêle, à feu moyen. Y faire revenir les échalotes et l'ail 1 minute.

▸ Ajouter les champignons, assaisonner et faire cuire 4 minutes. Arroser de vinaigre et poursuivre la cuisson 1 minute.

▸ Incorporer la sauce au jus de viande et la pâte de tomates. Laisser mijoter 8 minutes, à feu doux.

▸ Faire chauffer le reste de l'huile dans une autre grande poêle, à feu vif. Y faire revenir les steaks 2 minutes d'un côté. Les retourner, bien assaisonner et baisser le feu à moyen. Poursuivre la cuisson de 2 à 3 minutes. Rectifier le temps de cuisson au besoin.

▸ Parsemer de persil et servir les steaks nappés de sauce aux champignons.

1 portion | Calories 483 | Lipides 27 g | Glucides 8 g | Fibres 1,9 g | Protéines 52 g | Cholestérol 117 mg

Sauté de bœuf rapide

4 portions

60 ml	▸ huile d'olive	▸ 4 c. à s.
500 g	▸ filet de bœuf, tranché	▸ 1 lb
2	▸ gousses d'ail, pelées, tranchées	
1	▸ brocoli, en bouquets	
1	▸ poivron rouge, tranché	
1	▸ poivron vert, tranché	
4	▸ oignons verts, en courte julienne	
250 g	▸ champignons frais, nettoyés, tranchés	▸ ½ lb
15 ml	▸ gingembre frais râpé	▸ 1 c. à s.
1	▸ pincée de piments forts broyés	
30 ml	▸ sauce soya	▸ 2 c. à s.
	▸ sel et poivre fraîchement moulu	

▸ Dans une grande poêle, faire chauffer 30 ml (2 c. à s.) d'huile, à feu vif. Y faire saisir la viande 1 minute. La retourner et faire saisir l'autre côté 1 minute. La retirer de la poêle et réserver.

▸ Faire chauffer le reste de l'huile dans la poêle. Y ajouter l'ail et les légumes. Assaisonner, couvrir et faire cuire 3 minutes. Incorporer le gingembre et les piments ; faire cuire à découvert 3 minutes.

▸ Remettre la viande dans la casserole et l'arroser de sauce soya. Bien mélanger et faire cuire 1 minute. Rectifier le temps selon le degré de cuisson voulu. Servir sur du riz, si désiré.

Bœuf bourguignon

4 portions

1 portion | Calories 712 | Lipides 29 g | Glucides 16 g | Fibres 2,9 g | Protéines 94 g | Cholestérol 195 mg

75 ml	▸ huile d'olive	▸ 5 c. à s.	
1,5 kg	▸ bœuf dans le paleron, en cubes de 2 cm (³⁄₄ po)	▸ 3 lb	
4	▸ gousses d'ail, pelées, écrasées, hachées		
75 ml	▸ farine tout usage	▸ 5 c. à s.	
625 ml	▸ bouillon de bœuf, chaud	▸ 2 ½ tasses	
500 ml	▸ vin rouge sec	▸ 2 tasses	
1	▸ branche de thym frais		
2	▸ brins de persil frais		
2	▸ feuilles de laurier		
12	▸ échalotes sèches, pelées		
250 g	▸ champignons frais, nettoyés, coupés en deux	▸ ½ lb	
	▸ sel et poivre fraîchement moulu		

▸ Préchauffer le four à 180 °C (350 °F).

▸ Dans une grande casserole allant au four, faire chauffer à feu moyen 25 ml (1 ½ c. à s.) d'huile. Y faire revenir la moitié de la viande sur toutes les faces. La retirer et réserver. Répéter l'opération avec le reste de la viande.

▸ Remettre toute la viande dans la casserole, assaisonner et ajouter l'ail. Faire cuire 1 minute.

▸ Saupoudrer de farine et mélanger. Faire cuire 5 minutes à feu doux, jusqu'à ce que la farine brunisse. Mouiller avec le bouillon et laisser mijoter à feu doux.

▸ Dans une petite casserole, faire chauffer le vin 8 minutes, à feu vif. L'incorporer au ragoût.

▸ Ficeler les fines herbes, les mettre dans la casserole et assaisonner. Porter à ébullition, couvrir et faire cuire au four 1 heure.

▸ Ajouter les échalotes et poursuivre la cuisson 1 heure.

▸ Vingt-cinq minutes avant la fin de la cuisson, préparer les champignons. Faire chauffer le reste de l'huile dans une poêle, à feu vif. Y faire cuire les champignons 4 minutes ; assaisonner. Ajouter les champignons à la casserole et terminer la cuisson.

▸ Servir sur des nouilles.

Brochettes de bœuf

4 portions

675 g	▸ filet de bœuf, en cubes de 2 cm (³/₄ po)	1 ¹/₂ lb
8	▸ feuilles de laurier	
8	▸ tranches de bacon, légèrement cuites, coupées en deux	
1	▸ poivron jaune, en bouchées	
1	▸ petit oignon rouge, pelé, coupé en six	
30	▸ têtes de champignons, nettoyées	
30 ml	▸ huile d'olive	2 c. à s.
15 ml	▸ sauce teriyaki	1 c. à s.
	▸ sel et poivre fraîchement moulu	
	▸ jus de 1 citron	

▸ Sur des brochettes en métal, enfiler en alternant des cubes de bœuf, des feuilles de laurier, du bacon et des légumes.

▸ Mélanger tous les autres ingrédients et en badigeonner les brochettes. Les faire griller au four à 13 cm (5 po) de l'élément supérieur en les tournant une fois pendant la cuisson et en les badigeonnant plusieurs fois.

▸ Bien assaisonner et servir avec une salade verte.

1 portion | Calories 412 | Lipides 24 g | Glucides 8 g | Fibres 1,5 g | Protéines 41 g Cholestérol | 95 mg

Tournedos de bœuf, sauce au poivre vert

4 portions

15 ml	▸ grains de poivre vert	▸ 1 c. à s.	
250 ml	▸ crème à 35 %	▸ 1 tasse	
50 ml	▸ madère	▸ ¼ tasse	
125 ml	▸ bouillon de bœuf	▸ ½ tasse	
4	▸ tournedos de bœuf de 180 g (6 oz) chacun, de 2,5 cm (1 po) d'épaisseur		
	▸ huile d'olive		
	▸ sel et poivre fraîchement moulu		

- ▸ Préchauffer le gril du four.

  Rincer les grains de poivre à l'eau froide, les égoutter et les écraser avec 15 ml (1 c. à s.) de crème.

- ▸ Dans une petite casserole, mélanger les grains de poivre écrasés, la crème et le vin. Ajouter le bouillon et assaisonner. Faire cuire à feu doux, en remuant souvent, jusqu'à ce que les saveurs soient bien mélangées.

- ▸ Badigeonner d'huile les deux côtés de la viande, puis la faire saisir rapidement de chaque côté dans une grande poêle, à feu vif. Bien assaisonner. Déposer la viande dans un plat allant au four et la faire griller au four, 3 minutes de chaque côté.

- ▸ Servir avec la sauce au poivre.

Viande
de boucherie

1 portion | Calories 406 | Lipides 26 g | Glucides 3 g | Fibres 0,1 g | Protéines 38 g | Cholestérol 152 mg

Rôti de côtes croisées à l'anglaise

4 portions

1	▸ rôti de côtes croisées de 2 à 2,5 kg (4 à 5 lb), paré	
15 ml	▸ huile d'olive	▸ 1 c. à s.
1	▸ oignon, pelé, en dés	
1	▸ carotte, pelée, en petits dés	
2 ml	▸ thym	▸ ½ c. à t.
15 ml	▸ persil frais haché	▸ 1 c. à s.
1	▸ gousse d'ail, pelée, hachée	
15 ml	▸ farine tout usage	▸ 1 c. à s.
375 ml	▸ bouillon de bœuf, chaud	▸ 1 ½ tasse
	▸ sel et poivre fraîchement moulu	

▸ Préchauffer le four à 260 °C (500 °F). Badigeonner la viande d'huile et la placer dans une rôtissoire, le côté os vers le bas.

▸ Enfourner et faire cuire jusqu'à ce que la viande soit brune, environ 10 minutes. Assaisonner généreusement et baisser la température du four à 180 °C (350 °F). Faire cuire selon le degré de cuisson désiré, en calculant 15 minutes par 500 g (1 lb) pour une viande saignante, 20 minutes pour une cuisson à point et 25 minutes pour une viande bien cuite.

▸ Lorsque le rôti est cuit, le retirer de la rôtissoire et le réserver dans un plat de service. Attendre 15 minutes avant de le découper en tranches fines.

▸ Mettre les légumes, les assaisonnements et l'ail dans la rôtissoire. Faire cuire 5 minutes, à feu vif.

▸ Saupoudrer de farine et bien mélanger. Faire cuire 4 minutes, jusqu'à ce que la farine brunisse. Incorporer le bouillon et poursuivre la cuisson 10 minutes, à feu moyen.

▸ Filtrer la sauce à travers une passoire fine. Détailler le rôti en tranches fines et le servir avec la sauce et des pommes de terre nouvelles, si désiré.

1 portion | Calories 522 | Lipides 22 g | Glucides 5 g | Fibres 0,9 g | Protéines 76 g | Cholestérol 185 mg

Pot-au-feu

4	▸ blancs de poireau	
1 kg	▸ os de bœuf nettoyés, en morceaux de 5 cm (2 po)	2 lb
1	▸ rôti de ronde de 1,5 kg (3 lb), ficelé	
3 litres	▸ eau	12 tasses
15 ml	▸ sel	1 c. à s.
12	▸ carottes nouvelles, pelées	
1	▸ navet de taille moyenne, pelé, coupé en douze	
2	▸ oignons, pelés, piqués de clous de girofle	
2	▸ branches de céleri, coupées en quatre	
	▸ poivre fraîchement moulu	
	▸ sel de mer	
	▸ moutarde forte	
	▸ vinaigre de vin rouge	

▸ Fendre les poireaux en deux dans le sens de la longueur, jusqu'à 2,5 cm (1 po) de la base. Bien les laver ; réserver.

▸ Mettre les os dans une grande casserole. Ajouter le rôti, l'eau et 15 ml (1 c. à s.) de sel. Porter à faible ébullition, à feu moyen. Cette étape devrait prendre environ 30 minutes. Écumer au besoin.

▸ Lorsque l'eau bout, baisser le feu à doux et laisser mijoter 30 minutes. Écumer au besoin.

▸ Lorsque le liquide est clair, ajouter les légumes, y compris les poireaux. Bien poivrer. Faire cuire 3 heures, à feu très doux. Retirer les légumes lorsqu'ils sont cuits ; les garder chauds, dans un bol contenant un peu de liquide de cuisson.

▸ Servir la viande avec les légumes et du sel de mer. Accompagner de moutarde forte et de vinaigre de vin rouge.

Viande
de boucherie

Pâtes aux légumes

4 portions

30 ml	▸ huile d'olive	▸ 2 c. à s.	
375 ml	▸ bouquets de brocoli	▸ 1 ½ tasse	
1	▸ carotte, pelée, en tranches très minces		
1	▸ courgette, en petits dés		
1	▸ poivron rouge, tranché		
15 ml	▸ basilic frais haché	▸ 1 c. à s.	
250 ml	▸ crème à 15 %	▸ 1 tasse	
500 g	▸ penne, cuites *al dente*	▸ 1 lb	
125 ml	▸ parmesan râpé	▸ ½ tasse	
	▸ sel et poivre fraîchement moulu		
	▸ paprika, au goût		

▸ Faire chauffer l'huile dans une poêle, à feu moyen. Ajouter le brocoli et la carotte ; assaisonner. Couvrir et faire cuire 3 minutes, à feu doux.

▸ Ajouter la courgette, le poivron et le basilic. Assaisonner et faire cuire 3 minutes, à feu vif, à découvert.

▸ Faire chauffer la crème dans une casserole, à feu moyen. Ajouter du paprika et poivrer. Faire cuire 3 minutes.

▸ Dans un bol, mélanger les pâtes chaudes avec la crème. Incorporer le fromage et ajouter les légumes. Mélanger et servir.

1 portion | Calories 370 | Lipides 18 g | Glucides 38 g | Fibres 5,4 g | Protéines 14 g | Cholestérol 28 mg

Spaghettis au pesto

4 portions

12	▸ gousses d'ail non pelées		
500 ml	▸ feuilles de basilic frais, lavées, essorées	▸	2 tasses
125 ml	▸ pignons, grillés	▸	½ tasse
125 ml	▸ parmesan râpé	▸	½ tasse
125 ml	▸ huile d'olive	▸	½ tasse
500 g	▸ spaghettis, chauds, cuits *al dente*	▸	1 lb
	▸ sel et poivre fraîchement moulu		
	▸ fromage asiago râpé (facultatif)		

▸ Mettre l'ail non pelé dans une casserole avec 250 ml (1 tasse) d'eau. Porter à ébullition et faire cuire 4 minutes. Retirer les gousses d'ail, les laisser refroidir, les éplucher et les réduire en purée, au mortier.

▸ Au robot culinaire, bien mélanger tous les ingrédients, sauf les pâtes.

▸ Mettre les spaghettis dans un bol chaud. Y incorporer le pesto. Poivrer et servir avec du fromage asiago râpé, si désiré.

1 portion | Calories 623 | Lipides 47 g | Glucides 33 g | Fibres 2,7 g | Protéines 17 g | Cholestérol 8 mg

Macaronis aux olives noires

4 portions

30 ml	▸ huile d'olive	▸	2 c. à s.
3	▸ échalotes sèches, pelées, hachées		
2	▸ gousses d'ail, pelées, écrasées, hachées		
1	▸ petit poivron mariné, haché		
796 ml	▸ tomates en conserve, égouttées, hachées	▸	28 oz
30 ml	▸ basilic frais haché	▸	2 c. à s.
15 ml	▸ persil frais haché	▸	1 c. à s.
30 ml	▸ câpres	▸	2 c. à s.
24	▸ olives noires dénoyautées		
4	▸ portions de macaronis, cuits *al dente*, chauds		
125 ml	▸ fromage pecorino râpé	▸	½ tasse
	▸ sel et poivre fraîchement moulu		

▸ Faire chauffer l'huile dans une poêle, à feu moyen. Baisser le feu à doux et y faire cuire les échalotes, l'ail et le poivron 2 minutes.

▸ Ajouter les tomates, les fines herbes et les câpres. Bien assaisonner et faire cuire 8 minutes, à feu vif.

▸ Incorporer les olives et les pâtes chaudes. Faire mijoter 2 minutes. Parsemer de fromage et servir.

1 portion | Calories 394 | Lipides 14 g | Glucides 54 g | Fibres 5,6 g | Protéines 13 g | Cholestérol 8 mg

Fettuccine, sauce aux poivrons rouges

4 portions

4	▸ poivrons rouges		
14	▸ gousses d'ail, non pelées		
50 ml	▸ chapelure blanche	▸ ¼ tasse	
125 ml	▸ huile d'olive	▸ ½ tasse	
500 g	▸ fettuccine, cuits *al dente*, chauds	▸ 1 lb	
50 ml	▸ liquide de cuisson des pâtes	▸ ¼ tasse	
	▸ sel et poivre fraîchement moulu		
	▸ paprika, au goût		

▸ Préchauffer le gril du four.

▸ Couper les poivrons en deux et les épépiner. Huiler la peau et les placer sur une plaque à biscuits, le côté coupé vers le bas ; faire noircir 6 minutes au four. Sortir du four et laisser refroidir, puis peler.

▸ Dans une casserole, mettre les gousses d'ail non pelées et 250 ml (1 tasse) d'eau. Porter à ébullition et faire cuire 4 minutes. Retirer les gousses d'ail, les laisser refroidir, puis les éplucher.

▸ Au robot culinaire, mélanger l'ail avec les poivrons pendant 30 secondes. Incorporer d'abord la chapelure, puis l'huile.

▸ Mettre les pâtes dans une casserole. Incorporer le mélange aux poivrons. Ajouter le liquide de cuisson réservé et mélanger.

▸ Assaisonner avec le sel, le poivre et le paprika. Mélanger et servir.

1 portion | Calories 458 | Lipides 30 g | Glucides 40 g | Fibres 4,3 g | Protéines 7 g | Cholestérol 0 mg

Spaghettinis,
sauce aux anchois

4 portions

15 ml	▸ huile d'olive	▸ 1 c. à s.
1	▸ oignon de taille moyenne, pelé, haché finement	
2	▸ gousses d'ail, pelées, écrasées, hachées	
6	▸ filets d'anchois, égouttés, hachés	
4	▸ tomates, pelées, épépinées, hachées	
2 ml	▸ piment jalapeño haché finement	▸ ½ c. à t.
15 ml	▸ basilic frais	▸ 1 c. à s.
500 g	▸ spaghettinis, cuits *al dente*	▸ 1 lb
	▸ sel et poivre fraîchement moulu	
	▸ fromage râpé, au choix	

▸ Faire chauffer l'huile dans une poêle, à feu moyen. Y faire cuire l'oignon et l'ail 3 minutes. Bien incorporer les anchois.

▸ Ajouter le reste des ingrédients, sauf les pâtes et le fromage. Faire cuire la sauce 10 minutes, à feu moyen-doux.

▸ Verser la sauce sur les pâtes chaudes et servir avec du fromage râpé.

1 portion | Calories 230 | Lipides 6 g | Glucides 36 g | Fibres 4,6 g | Protéines 8 g | Cholestérol 4 mg

Linguine avec sauce aux tomates fraîches

4 portions

4	▸ grosses tomates	
15 ml	▸ huile d'olive	▸ 1 c. à s.
1	▸ petit oignon, pelé, haché	
3	▸ gousses d'ail, pelées, écrasées, hachées	
1	▸ pincée de sucre	
30 ml	▸ persil frais haché	▸ 2 c. à s.
30 ml	▸ basilic frais haché	▸ 2 c. à s.
1 ml	▸ piment fort broyé	▸ ¼ c. à t.
500 g	▸ linguine, cuites *al dente*	▸ 1 lb
	▸ sel et poivre	
	▸ fromage pecorino râpé	

▸ Plonger les tomates dans de l'eau bouillante pendant 1 minute. Les retirer, les laisser légèrement refroidir, puis les peler. Les couper en deux, horizontalement, et presser pour en extraire les pépins. Hacher la pulpe.

▸ Faire chauffer l'huile dans une poêle, à feu moyen. Y faire cuire l'oignon et l'ail 3 minutes. Ajouter les tomates, le sucre et tous les assaisonnements. Faire cuire 8 minutes, à feu moyen-doux. Ne pas couvrir.

▸ Mélanger la sauce tomate avec les pâtes. Servir avec le pecorino râpé.

Pâtes et riz

1 portion | Calories 221 | Lipides 5 g | Glucides 37 g | Fibres 5,0 g | Protéines 7 g | Cholestérol 0 mg

Risotto

4 portions

▸ Dans une casserole à fond épais, faire chauffer le beurre, à feu moyen. Baisser le feu à doux et y faire cuire l'oignon 3 minutes.

▸ Ajouter le riz, assaisonner et bien mélanger ; faire cuire 2 minutes.

▸ En remuant continuellement, incorporer 125 ml (½ tasse) de bouillon de poulet. Faire cuire à feu moyen. Au fur et à mesure que le liquide est absorbé, ajouter du bouillon de poulet, environ 75 ml (⅓ tasse) à la fois. Pour bien réussir un risotto, il faut toujours ajouter un peu de liquide à la fois et remuer continuellement.

▸ Lorsque le riz est cuit, retirer la casserole du feu et incorporer le fromage. Assaisonner et servir.

30 ml	▸ beurre	▸ 2 c. à s.
1	▸ gros oignon, pelé, haché finement	
250 ml	▸ riz arborio, rincé, égoutté	▸ 1 tasse
500 à 750 ml	▸ bouillon de poulet, chaud	▸ 2 à 3 tasses
60 ml	▸ fromage pecorino râpé	▸ 4 c. à s.
	▸ sel et poivre blanc	

1 portion | Calories 197 | Lipides 7 g | Glucides 30 g | Fibres 2,1 g | Protéines 7 g | Cholestérol 18 mg

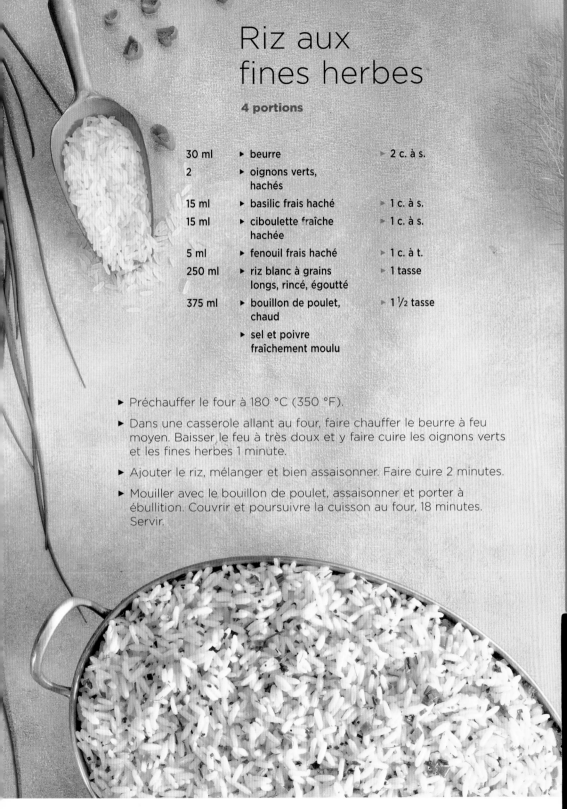

Riz aux fines herbes

4 portions

30 ml	▸ beurre	▸ 2 c. à s.
2	▸ oignons verts, hachés	
15 ml	▸ basilic frais haché	▸ 1 c. à s.
15 ml	▸ ciboulette fraîche hachée	▸ 1 c. à s.
5 ml	▸ fenouil frais haché	▸ 1 c. à t.
250 ml	▸ riz blanc à grains longs, rincé, égoutté	▸ 1 tasse
375 ml	▸ bouillon de poulet, chaud	▸ 1 ½ tasse
	▸ sel et poivre fraîchement moulu	

▸ Préchauffer le four à 180 °C (350 °F).

▸ Dans une casserole allant au four, faire chauffer le beurre à feu moyen. Baisser le feu à très doux et y faire cuire les oignons verts et les fines herbes 1 minute.

▸ Ajouter le riz, mélanger et bien assaisonner. Faire cuire 2 minutes.

▸ Mouiller avec le bouillon de poulet, assaisonner et porter à ébullition. Couvrir et poursuivre la cuisson au four, 18 minutes. Servir.

1 portion | Calories 157 | Lipides 5 g | Glucides 25 g | Fibres 1,4 g | Protéines 3 g | Cholestérol 14 mg

Riz pilaf aux champignons

4 portions

30 ml	▸ beurre	▸ 2 c. à s.
4	▸ échalotes sèches, pelées, hachées	
15 ml	▸ basilic frais haché	▸ 1 c. à s.
250 ml	▸ riz blanc à grains longs, rincé, égoutté	▸ 1 tasse
375 ml	▸ bouillon de poulet, chaud	▸ 1 ½ tasse
15 ml	▸ huile d'olive	▸ 1 c. à s.
250 g	▸ champignons frais*, nettoyés, tranchés	▸ ½ lb
1	▸ gousse d'ail, pelée, écrasée, hachée	
15 ml	▸ persil frais haché	▸ 1 c. à s.
	▸ sel et poivre fraîchement moulu	
	▸ jus de citron, au goût	

▸ Préchauffer le four à 180 °C (350 °F).

▸ Dans une casserole allant au four, faire chauffer la moitié du beurre à feu moyen. Ajouter la moitié des échalotes et le basilic ; faire cuire 1 minute.

▸ Ajouter le riz, assaisonner généreusement et mélanger. Faire cuire à feu doux, jusqu'à ce que le riz commence à coller au fond de la casserole.

▸ Mouiller avec le bouillon de poulet et monter le feu à vif. Porter à ébullition.

▸ Assaisonner, couvrir et poursuivre la cuisson au four, 18 minutes.

▸ Faire chauffer le reste du beurre et l'huile dans une poêle, à feu vif. Ajouter le reste des échalotes, les champignons, l'ail et le persil. Assaisonner et faire revenir 5 minutes.

▸ Ajouter du jus de citron et mélanger. Servir sur le riz.

* Vous pouvez utiliser n'importe quelle sorte de champignons dans cette recette.

1 portion | Calories 201 | Lipides 9 g | Glucides 28 g | Fibres 3,2 g | Protéines 2 g | Cholestérol 14 mg

Riz sauvage

4 portions

30 ml	▸ beurre	▸ 2 c. à s.
1	▸ oignon, pelé, haché finement	
250 ml	▸ riz sauvage, rincé, égoutté	▸ 1 tasse
1,25 litre	▸ eau	▸ 5 tasses
	▸ sel et poivre fraîchement moulu	

▸ Faire chauffer le beurre dans une casserole, à feu moyen. Y faire cuire l'oignon 3 minutes, à feu doux.

▸ Ajouter le riz, mélanger et assaisonner. Faire cuire 3 minutes.

▸ Mouiller avec l'eau, assaisonner et porter à ébullition à feu moyen. Couvrir hermétiquement et faire cuire le riz de 35 à 45 minutes, à feu doux.

▸ Égoutter et servir.

1 portion | Calories 103 | Lipides 3 g | Glucides 17 g | Fibres 0,9 g | Protéines 2 g | Cholestérol 9 mg

Riz au safran

4 portions

15 ml	▸ beurre	▸ 1 c. à s.
2	▸ échalotes sèches, pelées, hachées	
250 ml	▸ riz blanc à grains longs, rincé, égoutté	▸ 1 tasse
375 ml	▸ bouillon de poulet, chaud	▸ 1 ½ tasse
1 ml	▸ safran	▸ ¼ c. à t.
1	▸ feuille de laurier	
45 ml	▸ parmesan râpé	▸ 3 c. à s.
	sel et poivre fraîchement moulu	

▸ Préchauffer le four à 180 °C (350 °F).

▸ Dans une casserole allant au four, faire chauffer le beurre à feu moyen. Y faire cuire les échalotes 1 minute.

▸ Ajouter le riz, assaisonner généreusement et mélanger. Faire cuire à feu doux, jusqu'à ce que le riz brunisse et commence à coller au fond de la casserole.

▸ Mouiller avec le bouillon de poulet et monter le feu à vif. Incorporer le safran et la feuille de laurier ; porter à ébullition.

▸ Assaisonner, couvrir et faire cuire 18 minutes, au four.

▸ Incorporer le fromage à la fourchette et servir.

Pâtes
et riz

Brochettes de légumes grillés

4 portions

12	▸ grosses gousses d'ail		
1	▸ aubergine italienne, en tranches de 2,5 cm (1 po) d'épaisseur		
24	▸ grosses têtes de champignons frais, nettoyées		
1	▸ courgette, en rondelles de 1 cm (½ po) d'épaisseur		
15 ml	▸ jus de citron	▸ 1 c. à s.	
125 ml	▸ vin blanc sec	▸ ½ tasse	
125 ml	▸ eau	▸ ½ tasse	
60 ml	▸ huile d'olive	▸ 4 c. à s.	
1	▸ poivron rouge, en gros dés		
1	▸ poivron vert, en gros dés		
1	▸ oignon rouge, pelé, coupé en six		
8	▸ tomates cerises		
	▸ sel et poivre fraîchement moulu		
	▸ jus de citron		

▸ Préchauffer le gril du four.

▸ Faire blanchir les gousses d'ail dans de l'eau bouillante pendant 3 minutes. Les retirer et les éplucher.

▸ Dans une grande casserole, mettre l'aubergine, les champignons et la courgette. Ajouter le jus de citron, le vin, l'eau et 15 ml (1 c. à s.) d'huile. Bien poivrer, couvrir et faire cuire 3 minutes. Bien égoutter.

▸ En alternant, enfiler les gousses d'ail et les légumes sur les brochettes. Réserver dans un plat allant au four.

▸ Dans un bol, mélanger le reste de l'huile et le jus de citron ; poivrer. Badigeonner les légumes de ce mélange; puis les faire griller au four de 4 à 5 minutes. Rectifier le temps de cuisson au besoin. Servir avec du riz.

1 portion | Calories 218 | Lipides 14 g | Glucides 15 g | Fibres 3,6 g | Protéines 3 g | Cholestérol 0 mg

Haricots verts
à la niçoise

4 portions

750 g	▸ haricots verts frais, parés	▸ 1 ½ lb
45 ml	▸ huile d'olive	▸ 3 c. à s.
3	▸ échalotes sèches, pelées, hachées	
3	▸ gousses d'ail, pelées, écrasées, hachées	
3	▸ tomates, pelées, épépinées, hachées	
50 ml	▸ tomates séchées hachées	▸ ¼ tasse
30 ml	▸ basilic frais haché	▸ 2 c. à s.
	▸ sel et poivre fraîchement moulu	
	▸ olives noires, pour garnir	

▸ Faire cuire les haricots de 8 à 10 minutes dans de l'eau bouillante salée. Les passer rapidement sous l'eau froide, et bien les égoutter.

▸ Faire chauffer 30 ml (2 c. à s.) d'huile dans une grande poêle, à feu moyen. Baisser le feu à doux et y faire cuire les échalotes et l'ail 2 minutes.

▸ Ajouter les tomates, les tomates séchées et le basilic. Assaisonner et faire cuire 7 minutes, à feu moyen.

▸ Faire chauffer le reste de l'huile dans une autre poêle, à feu vif. Y faire revenir les haricots verts 3 minutes ; bien assaisonner.

▸ Ajouter aux haricots la préparation aux tomates. Mélanger, garnir d'olives noires et servir.

1 portion | Calories 178 | Lipides 10 g | Glucides 18 g | Fibres 4,2 g | Protéines 4 g | Cholestérol 0 mg

Carottes et panais au miel

4 portions

3	▸ carottes, pelées, en rondelles de 5 mm (¼ po) d'épaisseur		
3	▸ panais, parés, tranchés		
30 ml	▸ beurre	▸ 2 c. à s.	
15 ml	▸ miel	▸ 1 c. à s.	
15 ml	▸ ciboulette fraîche hachée	▸ 1 c. à s.	
	▸ sel et poivre fraîchement moulu		

▸ Faire cuire les carottes et les panais dans de l'eau bouillante salée, à feu moyen.

▸ Lorsque les légumes sont cuits, mettre la casserole sous l'eau froide pendant 2 minutes. Bien égoutter les légumes.

▸ Faire chauffer le beurre dans une poêle, à feu moyen. Y ajouter les légumes, le miel et la ciboulette ; assaisonner. Faire cuire de 2 à 3 minutes, en remuant de temps à autre. Assaisonner et servir.

1 portion | Calories 137 | Lipides 5 g | Glucides 22 g | Fibres 3,9 g | Protéines 1 g | Cholestérol 14 mg

Courgettes sautées

4 portions

30 ml	▸ huile d'olive	▸ 2 c. à s.	
4	▸ petites courgettes, émincées		
125 ml	▸ pignons grillés	▸ ½ tasse	
15 ml	▸ basilic frais haché	▸ 1 c. à s.	
5 ml	▸ zeste de citron haché	▸ 1 c. à t.	
	▸ sel et poivre fraîchement moulu		

▸ Faire chauffer l'huile dans une poêle, à feu vif. Y faire cuire les courgettes jusqu'à ce qu'elles soient tendres, en les retournant pendant la cuisson. Bien assaisonner.

▸ Lorsque les courgettes sont cuites, ajouter les autres ingrédients. Mélanger, laisser mijoter 1 minute et servir.

Légumes

1 portion | Calories 236 | Lipides 20 g | Glucides 6 g | Fibres 2,4 g | Protéines 8 g | Cholestérol 0 mg

1 portion | Calories 343 | Lipides 19 g | Glucides 27 g | Fibres 2,1 g | Protéines 16 g | Cholestérol 56 mg

Asperges, sauce au fromage

4 portions

2	▸ grosses bottes d'asperges fraîches		
60 ml	▸ beurre	▸ 4 c. à s.
1	▸ oignon, pelé, haché	
45 ml	▸ farine	▸ 3 c. à s.
625 ml	▸ lait, chaud	▸ 2 ½ tasses
1	▸ pincée de muscade	
1	▸ pincée de clou de girofle moulu	
250 ml	▸ gruyère râpé	▸ 1 tasse
1	▸ pincée de paprika	
	▸ jus de ½ citron	
	▸ sel et poivre blanc	

▸ Couper l'extrémité des asperges et parer les tiges au besoin. Les faire cuire dans une casserole d'eau bouillante salée additionnée du jus de citron, jusqu'à ce qu'elles soient tendres. Bien les égoutter et les éponger avec du papier absorbant.

▸ Entre-temps, faire chauffer le beurre dans une casserole, à feu moyen. Baisser le feu à doux et y faire cuire l'oignon 2 minutes. Saupoudrer de farine et mélanger ; faire cuire 15 secondes.

▸ Incorporer le lait, la muscade et le clou de girofle. Bien mélanger, assaisonner et faire cuire 12 minutes, à feu doux, en fouettant souvent.

▸ Filtrer la sauce à travers un tamis posé sur une casserole. Y incorporer le fromage et le paprika. Laisser mijoter plusieurs minutes pour que le fromage fonde. Verser sur les asperges et servir.

Légumes

Pommes de terre Anna

4 portions

125 ml	▸ beurre	▸ ½ tasse
5	▸ pommes de terre de taille moyenne	
	▸ sel et poivre fraîchement moulu	

▸ Préchauffer le four à 200 °C (400 °F).

▸ Enduire de beurre le fond d'une grande poêle allant au four.

▸ Peler les pommes de terre et les détailler en tranches très minces. Utiliser une mandoline, si possible.

▸ Disposer les pommes de terre en cercles qui se chevauchent, de façon à remplir la poêle. Parsemer les couches de noix de beurre et assaisonner souvent. Couvrir de beurre, puis de papier d'aluminium.

▸ Faire cuire à feu moyen, 10 minutes.

▸ Poursuivre la cuisson au four, 30 minutes.

▸ Renverser dans un plat de service, trancher et servir.

1 portion | Calories 198 | Lipides 14 g | Glucides 16 g | Fibres 1,4 g | Protéines 2 g | Cholestérol 39 mg

Pommes de terre à l'ail et au romarin

4 portions

6	▸ petites pommes de terre rouges, lavées	
30 ml	▸ huile d'olive	▸ 2 c. à s.
4	▸ gousses d'ail, pelées, émincées	
5 ml	▸ romarin	▸ 1 c. à t.
	▸ sel et poivre fraîchement moulu	

▸ Faire cuire les pommes de terre à la vapeur, jusqu'à ce qu'elles soient tendres, puis les couper en quatre.

▸ Faire chauffer l'huile dans une poêle, à feu vif. Y ajouter les pommes de terre, l'ail et le romarin. Mélanger et faire brunir les pommes de terre sur toutes les faces.

▸ Saler et poivrer au goût ; servir.

1 portion | Calories 199 | Lipides 7 g | Glucides 31 g | Fibres 2,8 g | Protéines 3 g | Cholestérol 0 mg

Pommes de terre sautées avec poireaux

4 portions

2	▸ gros blancs de poireau		
30 ml	▸ huile d'olive	▸ 2 c. à s.	
2	▸ échalotes sèches, pelées, coupées en quatre		
4	▸ grosses pommes de terre cuites, pelées, en tranches épaisses		
½	▸ poivron rouge, tranché		
15 ml	▸ basilic frais haché	▸ 1 c. à s.	
	▸ sel et poivre fraîchement moulu		

▸ Fendre les poireaux en deux dans le sens de la longueur, jusqu'à 2,5 cm (1 po) de la base. Bien les laver, les égoutter et les trancher.

▸ Faire chauffer l'huile dans une grande poêle, à feu moyen. Y faire cuire les poireaux et les échalotes 2 minutes.

▸ Ajouter les pommes de terre et le poivron rouge. Assaisonner et faire cuire de 8 à 10 minutes, à feu moyen. Ne pas faire brûler les poireaux ; baisser le feu au besoin.

▸ Ajouter le basilic, assaisonner et poursuivre la cuisson de 2 à 3 minutes. Servir.

1 portion | Calories 175 | Lipides 7 g | Glucides 25 g | Fibres 2,7 g | Protéines 3 g | Cholestérol 0 mg

Pommes de terre à la lyonnaise

4 portions

4	▶ grosses pommes de terre, pelées, émincées		
45 ml	▶ huile d'olive	▶ 3 c. à s.
1	▶ oignon espagnol, pelé, tranché	
2	▶ gousses d'ail, pelées, émincées	
15 ml	▶ ciboulette fraîche hachée	▶ 1 c. à s.
15 ml	▶ basilic frais haché	▶ 1 c. à s.
	▶ sel et poivre fraîchement moulu	

▶ Faire tremper les pommes de terre dans l'eau froide pendant 5 minutes. Bien les égoutter et les éponger avec du papier absorbant.

▶ Faire chauffer 15 ml (1 c. à s.) d'huile dans une poêle, à feu moyen. Ajouter l'oignon et l'ail ; assaisonner. Faire cuire 10 minutes, à feu doux. Verser dans un bol.

▶ Faire chauffer le reste de l'huile dans la poêle. Y ajouter les pommes de terre, assaisonner et faire cuire 10 minutes. Remuer souvent pour éviter qu'elles ne brûlent.

▶ Incorporer le mélange à l'oignon et les fines herbes. Assaisonner et faire cuire de 5 à 6 minutes, ou jusqu'à ce que les pommes de terre soient tendres. Servir.

Légumes

1 portion | Calories 206 | Lipides 10 g | Glucides 26 g | Fibres 2,9 g | Protéines 3 g | Cholestérol 0 mg

Pommes de terre au four, farcies aux champignons

4 portions

4	▶ grosses pommes de terre, lavées	
45 ml	▶ huile d'olive	▶ 3 c. à s.
2	▶ échalotes sèches, pelées, hachées	
165 g	▶ champignons frais, nettoyés, hachés finement	▶ ⅓ lb
15 ml	▶ persil frais haché	▶ 1 c. à s.
15 ml	▶ basilic frais haché	▶ 1 c. à s.
125 ml	▶ crème à 35 %	▶ ½ tasse
30 ml	▶ beurre	▶ 2 c. à s.
125 ml	▶ gruyère râpé	▶ ½ tasse
	▶ sel et poivre fraîchement moulu	

▶ Préchauffer le four à 200 °C (400 °F).

▶ Envelopper les pommes de terre dans du papier d'aluminium et les piquer plusieurs fois avec une fourchette. Les faire cuire au four, 1 heure.

▶ Sortir les pommes de terre du four et y couper une calotte dans le sens de la longueur. Retirer la chair délicatement, sans briser la pelure, et la mettre dans un bol. Réserver les pelures.

▶ Faire chauffer l'huile dans une poêle, à feu vif. Ajouter les échalotes, les champignons, le persil et le basilic ; assaisonner. Faire cuire 6 minutes.

▶ Incorporer la moitié de la crème et faire cuire 2 minutes. Incorporer la chair des pommes de terre, puis le beurre et le reste de la crème. Assaisonner et mélanger.

▶ Farcir les pelures de préparation et parsemer de fromage. Faire griller au four 8 minutes et servir.

1 portion | Calories 402 | Lipides 30 g | Glucides 25 g | Fibres 2,5 g | Protéines 8 g | Cholestérol 62 mg

Légumes au gingembre

4 portions

1	▸ brocoli	
45 ml	▸ huile d'olive	▸ 3 c. à s.
1	▸ poivron vert, tranché finement	
1	▸ poivron rouge, tranché finement	
1	▸ courgette, tranchée	
½	▸ branche de céleri, tranchée	
30 ml	▸ gingembre frais haché	▸ 2 c. à s.
15 ml	▸ sauce soya	▸ 1 c. à s.
375 ml	▸ bouillon de poulet, chaud	▸ 1 ½ tasse
5 ml	▸ fécule de maïs	▸ 1 c. à t.
45 ml	▸ eau froide	▸ 3 c. à s.
	▸ sel et poivre fraîchement moulu	

▸ Diviser le brocoli en petits bouquets. Réserver les tiges pour une utilisation ultérieure.

▸ Faire chauffer l'huile dans une poêle, à feu vif. Ajouter tous les légumes, assaisonner et faire cuire 3 minutes.

▸ Ajouter le gingembre et la sauce soya. Mélanger et faire cuire 2 minutes. Incorporer le bouillon de poulet et prolonger la cuisson 2 minutes.

▸ Baisser le feu à doux. Délayer la fécule de maïs dans l'eau froide. L'incorporer à la sauce. Faire cuire 1 minute et servir.

1 portion | Calories 146 | Lipides 10 g | Glucides 10 g | Fibres 3,0 g | Protéines 4 g | Cholestérol 0 mg

Chou braisé au vin

4 portions

30 ml	► huile d'olive	► 2 c. à s.
1	► chou de taille moyenne, le cœur enlevé, coupé en huit	
4	► échalotes sèches, pelées, émincées	
½	► branche de céleri, tranchée	
2	► gousses d'ail, pelées, émincées	
30 ml	► basilic frais haché	► 2 c. à s.
125 ml	► vin blanc sec	► ½ tasse
125 ml	► bouillon de poulet, chaud	► ½ tasse
30 ml	► vinaigre balsamique	► 2 c. à s.
15 ml	► persil frais haché	► 1 c. à s.

► Préchauffer le four à 180 °C (350 °F).

► Dans une casserole allant au four, faire chauffer l'huile à feu moyen. Ajouter le chou, les échalotes, le céleri et l'ail. Assaisonner et faire cuire 8 minutes, à feu vif, en remuant de temps à autre.

► Ajouter le basilic, le vin, le bouillon de poulet, le vinaigre, le sel et le poivre. Bien mélanger, couvrir et faire cuire au four, 30 minutes.

► Parsemer de persil et servir.

Légumes

Tomates grillées

4 à 6 portions

6	▶ grosses tomates, coupées en deux		
45 ml	▶ huile d'olive	▶ 3 c. à s.	
2	▶ oignons, pelés, hachés		
2	▶ gousses d'ail, pelées, écrasées, hachées		
30 ml	▶ persil frais haché	▶ 2 c. à s.	
125 ml	▶ chapelure blanche	▶ ½ tasse	
	▶ sel et poivre fraîchement moulu		
	▶ piment fort broyé, au goût		

▶ Préchauffer le four à 190 °C (375 °F).

▶ Presser légèrement les tomates pour en éliminer une partie du jus et des pépins. Déposer les demi-tomates dans un plat allant au four, le côté coupé vers le haut, et assaisonner généreusement.

▶ Faire chauffer l'huile dans une poêle, à feu vif. Baisser le feu à moyen et y faire cuire les oignons et l'ail 8 minutes ; ajouter le persil et faire cuire 1 minute.

▶ Assaisonner et incorporer la chapelure. Ajouter le piment fort, au goût, et faire cuire 2 minutes.

▶ Étaler le mélange à la chapelure sur les demi-tomates et faire cuire au four, 10 minutes. Servir.

1 portion | Calories 123 | Lipides 7 g | Glucides 13 g | Fibres 1,7 g | Protéines 2 g | Cholestérol 0 mg

Fenouil braisé

4 portions

3	▶ bulbes de fenouil		
30 ml	▶ huile d'olive	▶ 2 c. à s.	
3	▶ gousses d'ail		
3	▶ échalotes sèches, pelées		
1	▶ carotte, pelée, tranchée		
125 ml	▶ vin blanc sec	▶ ½ tasse	
250 ml	▶ bouillon de poulet, chaud	▶ 1 tasse	
1	▶ branche de thym frais		
2	▶ brins de persil frais		
1	▶ feuille de laurier		
	▶ sel et poivre fraîchement moulu		

▶ Préchauffer le four à 180 °C (350 °F).

▶ Retirer la plupart des feuilles des pieds de fenouil, puis couper les pieds en deux. Retirer les côtes de l'extérieur et le cœur.

▶ Dans une grande casserole allant au four, faire chauffer l'huile à feu moyen. Y faire cuire le fenouil, l'ail, les échalotes et la carotte pendant 6 minutes.

▶ Mouiller avec le vin et poursuivre la cuisson 3 minutes. Ajouter le bouillon de poulet et tous les assaisonnements. Couvrir, mettre au four et faire cuire de 20 à 25 minutes. Retirer la feuille de laurier et servir.

1 portion | Calories 129 | Lipides 7 g | Glucides 13 g | Fibres 0,8 g | Protéines 2 g | Cholestérol 0 mg

Choucroute aux pommes

4 portions

1 kg	▸ choucroute	▸ 2 lb	
15 ml	▸ huile d'olive	▸ 1 c. à s.	
4	▸ tranches de bacon de dos, en petits morceaux		
1	▸ oignon, pelé, haché		
250 ml	▸ vin blanc sec	▸ 1 tasse	
250 ml	▸ bouillon de poulet, chaud	▸ 1 tasse	
1	▸ feuille de laurier		
1	▸ branche de thym		
30 ml	▸ beurre	▸ 2 c. à s.	
2	▸ pommes à cuire, évidées, pelées, tranchées		
	▸ sel et poivre fraîchement moulu		
	▸ quelques baies de genièvre		

▸ Préchauffer le four à 180 °C (350 °F).

▸ Rincer la choucroute à l'eau froide et bien l'égoutter.

▸ Dans une casserole allant au four, faire chauffer l'huile à feu moyen. Y faire cuire le bacon 2 minutes ; ajouter l'oignon et faire cuire 2 minutes.

▸ Ajouter la choucroute et mélanger. Monter le feu à vif et faire cuire 5 minutes.

▸ Incorporer le vin, le bouillon de poulet et les assaisonnements. Couvrir et faire cuire au four 1 h 30.

▸ Faire chauffer le beurre dans une poêle, à feu moyen. Ajouter les pommes et faire cuire 3 minutes, à feu vif. Les incorporer à la choucroute. Couvrir et poursuivre la cuisson au four, 30 minutes. Ajouter du liquide au besoin. Retirer la feuille de laurier et servir.

1 portion | Calories 232 | Lipides 11 g | Glucides 22 g | Fibres 1,8 g | Protéines 8 g | Cholestérol 27 mg

Purée de navets

4 portions

3	▶ navets de taille moyenne, pelés, en gros dés		
45 ml	▶ beurre	▶ 3 c. à s.	
50 ml	▶ crème à 15 % chaude, ou lait	▶ ¼ tasse	
1	▶ pincée de muscade		
	▶ sel et poivre fraîchement moulu		

▶ Faire cuire les navets dans de l'eau bouillante salée, jusqu'à ce qu'ils soient tendres.

▶ Lorsqu'ils sont cuits, les égoutter et les passer au moulin à légumes. Bien incorporer le beurre et la crème. Assaisonner de sel, de poivre et de muscade. Servir chaud.

1 portion | Calories 95 | Lipides 7 g | Glucides 7 g | Fibres 2,0 g | Protéines 1 g | Cholestérol 21 mg

Aubergines farcies

4 portions

2	▸ aubergines, coupées en deux dans le sens de la longueur	
45 ml	▸ huile d'olive	▸ 3 c. à s.
2	▸ gousses d'ail, pelées, écrasées, hachées	
2	▸ oignons, pelés, hachés	
1	▸ poivron jaune, en petits dés	
3	▸ tomates, pelées, épépinées, hachées	
50 ml	▸ tomates séchées hachées	▸ ¼ tasse
30 ml	▸ basilic frais haché	▸ 2 c. à s.
15 ml	▸ persil frais haché	▸ 1 c. à s.
300 ml	▸ mozzarella râpée	▸ 1¼ tasse
	▸ sel et poivre fraîchement moulu	

▸ Mettre les aubergines dans un plat et les saupoudrer de sel. Les laisser dégorger 1 heure, à la température ambiante.

▸ Préchauffer le four à 200 °C (400 °F).

▸ Bien égoutter les aubergines et les rincer pour enlever le surplus de sel ; les éponger et entailler la chair en croisillons. Badigeonner d'huile et déposer sur une plaque à biscuits, le côté peau vers le haut. Faire cuire au four 35 minutes.

▸ Sortir les aubergines du four, les évider avec une cuillère ; réserver les peaux. Hacher la chair.

▸ Faire chauffer l'huile dans une grande poêle, à feu moyen. Baisser le feu à doux et y faire cuire l'ail et les oignons 4 minutes.

▸ Ajouter le poivron, les tomates, les tomates séchées et la chair des aubergines. Bien assaisonner et incorporer les fines herbes. Faire cuire 16 minutes, à feu moyen.

▸ Remplir de farce les peaux d'aubergine, couvrir de fromage et faire gratiner 8 minutes, ou jusqu'à ce que le fromage soit doré. Servir.

1 portion | Calories 245 | Lipides 17 g | Glucides 16 g | Fibres 3,7 g | Protéines 7 g | Cholestérol 22 mg

Ratatouille

4 portions

75 ml	▸ huile d'olive	▸ ⅓ tasse
4	▸ oignons, pelés, hachés	
3	▸ grosses tomates, pelées, épépinées, hachées	
4	▸ grosses courgettes, tranchées	
1	▸ aubergine de taille moyenne, pelée, en dés	
1	▸ poivron rouge, tranché	
3	▸ gousses d'ail, pelées, écrasées, hachées	
15 ml	▸ basilic frais haché	▸ 1 c. à s.
2 ml	▸ thym	▸ ½ c. à t.
15 ml	▸ persil frais haché	▸ 1 c. à s.
	▸ sel et poivre fraîchement moulu	

▸ Faire chauffer l'huile dans une grande poêle, à feu moyen. Baisser le feu à doux et y faire cuire les oignons 10 minutes. Ne pas les laisser brûler.

▸ Ajouter les tomates et assaisonner. Mélanger et poursuivre la cuisson 4 minutes, à feu vif.

▸ Ajouter le reste des ingrédients et mélanger. Assaisonner généreusement, couvrir et faire cuire 1 heure, à feu doux. Remuer de temps à autre pendant la cuisson.

▸ Découvrir et poursuivre la cuisson 15 minutes, ou jusqu'à ce que le liquide soit presque tout évaporé. Servir.

1 portion | Calories 176 | Lipides 12 g | Glucides 15 g | Fibres 4,3 g | Protéines 2 g | Cholestérol 0 mg

Choux de Bruxelles au bacon

4 portions

750 g	▸ choux de Bruxelles	▸ 1 ½ lb
100 g	▸ bacon, en petits morceaux	▸ 3 ½ oz
375 ml	▸ petits oignons blancs cuits	▸ 1 ½ tasse
15 ml	▸ persil italien haché	▸ 1 c. à s.
	▸ jus de citron, au goût	
	▸ sel et poivre fraîchement moulu	

▸ Parer les choux de Bruxelles, les laver. Avec un couteau bien aiguisé, fendre la base en croix afin d'en assurer une cuisson uniforme.

▸ Faire cuire les choux de Bruxelles dans de l'eau bouillante salée pendant 10 minutes, ou jusqu'à ce qu'ils soient tendres. Les faire ensuite légèrement refroidir sous l'eau froide, bien les égoutter.

▸ Faire chauffer une poêle à fond épais, à feu moyen. Y faire cuire le bacon 3 minutes.

▸ Ajouter les oignons et les choux de Bruxelles. Assaisonner, mélanger et faire cuire de 8 à 10 minutes.

▸ Ajouter le reste des ingrédients, mélanger et servir.

Légumes

Bananes au rhum avec crème glacée

4 portions

15 ml	▸ beurre	▸	1 c. à s.
25 ml	▸ sucre	▸	1 ½ c. à s.
4	▸ bananes		
50 ml	▸ rhum	▸	¼ tasse
	▸ jus de 2 oranges		
	▸ jus de 1 citron		
	▸ crème glacée à la vanille		
	▸ petits fruits (facultatif)		

▸ Faire chauffer le beurre dans une poêle, à feu moyen. Y ajouter le sucre et bien remuer avec une petite cuillère jusqu'à ce qu'il caramélise. Ajouter les jus de fruits et faire cuire à feu vif pour dissoudre le sucre. Remuer continuellement.

▸ Ajouter les bananes et faire cuire 2 minutes, à feu vif.

▸ Arroser de rhum et faire flamber dans un endroit sûr ; faire cuire 1 minute. Servir avec de la crème glacée et des petits fruits, si désiré.

1 portion | Calories 257 | Lipides 7 g | Glucides 44 g | Fibres 2,0 g | Protéines 2 g | Cholestérol 26 mg

Salade de pêches au gingembre confit

4 portions

5	▸ pêches mûres	
30 ml	▸ sucre	▸ 2 c. à s.
30 ml	▸ gingembre confit haché	▸ 2 c. à s.
1 ml	▸ muscade	▸ ¼ c. à t.
5 ml	▸ fécule de maïs	▸ 1 c. à t.
45 ml	▸ eau froide	▸ 3 c. à s.
	▸ jus de 1 orange	
	▸ jus de ½ citron	

▸ Plonger les pêches dans une casserole remplie d'eau bouillante. Attendre 30 secondes, juste assez pour que la peau se détache de la chair. Retirer les pêches, les peler, les couper en deux, les dénoyauter et les trancher.

▸ Mettre le sucre, le gingembre confit et les jus de fruits dans une casserole. Porter à ébullition et faire cuire 2 minutes. Ajouter les pêches et la muscade. Couvrir et faire cuire 3 minutes, à feu doux.

▸ Délayer la fécule de maïs dans l'eau froide. Incorporer aux pêches et faire cuire jusqu'à ce que le sirop épaississe. Retirer la casserole du feu et laisser les pêches refroidir dans le sirop.

▸ Répartir les pêches entre les assiettes et accompagner de fromage cottage et de gingembre confit. Garnir de petits fruits, si désiré.

Crème renversée au caramel

4 portions

150 ml	▸ sucre	▸ ²/₃ tasse
45 ml	▸ eau	▸ 3 c. à s.
500 ml	▸ lait	▸ 2 tasses
5 ml	▸ vanille	▸ 1 c. à t.
15 ml	▸ eau	▸ 1 c. à s.
2	▸ gros œufs, à la température ambiante	
3	▸ gros jaunes d'œufs	
125 ml	▸ sucre	▸ ½ tasse

▸ Préchauffer le four à 180 °C (350 °F).

▸ Mettre 150 ml (²/₃ tasse) de sucre et 45 ml (3 c. à s.) d'eau dans une petite casserole.

▸ Faire cuire à feu doux pour faire fondre le sucre. Augmenter le feu à moyen-vif et poursuivre la cuisson, sans remuer, jusqu'à ce que le mélange devienne brun doré. Surveiller de très près, car le changement de couleur se produit rapidement. Répartir le sirop entre 4 à 6 ramequins et réserver.

▸ Dans une autre casserole, porter à ébullition le lait, la vanille et 15 ml (1 c. à s.) d'eau.

▸ Dans grand un bol, fouetter légèrement les œufs et les jaunes d'œufs. Ajouter le reste du sucre et bien incorporer en fouettant.

▸ Sans cesser de fouetter, incorporer le mélange au lait chaud aux œufs battus. Filtrer à travers une passoire et verser dans les ramequins.

▸ Mettre les ramequins dans un plat allant au four, à moitié rempli d'eau, enfourner et faire cuire de 40 à 45 minutes.

▸ Lorsque la crème est cuite, enlever les ramequins du plat et les laisser refroidir. Réfrigérer ensuite jusqu'à ce que la crème soit ferme.

▸ Pour démouler, faire courir la lame d'un couteau le long des parois internes du ramequin. Renverser dans une assiette à dessert et servir accompagné de fruits frais, si désiré.

1 portion | Calories 193 | Lipides 5 g | Glucides 31 g | Fibres 0 g | Protéines 6 g | Cholestérol 183 mg

Soufflé glacé aux amandes

4 portions

5	► gros jaunes d'œufs	
175 ml	► sucre	► ¾ tasse
175 ml	► noix moulues*	► ¾ tasse
30 ml	► rhum	► 2 c. à s.
500 ml	► crème à 35 %, fouettée	► 2 tasses
5	► gros blancs d'œufs	
	► chocolat mi-sucré râpé	
	► amandes émincées, grillées (facultatif)	

► Beurrer 6 ramequins ou un moule à gâteau à fond amovible de 23 cm (9 po) de diamètre. Avec du ruban adhésif et de la ficelle, fixer un col en papier d'aluminium de 5 cm (2 po) de haut autour des ramequins ou du moule à gâteau.

► Battre les jaunes d'œufs avec le sucre jusqu'à ce que le mélange soit léger et mousseux. Bien incorporer les noix moulues et le rhum. Avec une cuillère en bois, incorporer la crème fouettée.

► Battre les blancs d'œufs en neige molle. Avec une spatule, les incorporer très délicatement au mélange aux noix.

► Verser le mélange dans les moules. Faire prendre au congélateur.

► Pour servir, retirer le papier d'aluminium et parsemer de chocolat râpé. Garnir d'amandes, si désiré.

* Utiliser des amandes, des noisettes ou des noix de Grenoble.

Biscuits aux flocons d'avoine

4 portions

75 ml	▸ graisse végétale	▹	1/3 tasse
250 ml	▸ cassonade	▹	1 tasse
1	▸ gros œuf		
300 ml	▸ farine tout usage	▹	1 1/4 tasse
5 ml	▸ poudre à pâte	▹	1 c. à t.
1 ml	▸ sel	▹	1/4 c. à t.
50 ml	▸ lait	▹	1/4 tasse
250 ml	▸ flocons d'avoine	▹	1 tasse
125 ml	▸ raisins secs	▹	1/2 tasse
125 ml	▸ noix de Grenoble hachées	▹	1/2 tasse

▸ Préchauffer le four à 190 °C (375 °F).

▸ Dans un grand bol, réduire en crème la graisse végétale avec la cassonade. Incorporer l'œuf et battre jusqu'à l'obtention d'un mélange lisse.

▸ Sur la pâte, tamiser la farine, la poudre à pâte et le sel. Incorporer avec une cuillère en bois ou un batteur à main.

▸ Sans cesser de mélanger, incorporer le lait. Ajouter les flocons d'avoine, les raisins secs et les noix ; mélanger afin de les répartir uniformément dans la pâte.

▸ Déposer de petites cuillerées de pâte sur des plaques à biscuits non graissées. Faire cuire au four de 10 à 12 minutes. Retirer les biscuits des plaques et les laisser refroidir sur des grilles.

1 portion | Calories 108 | Lipides 4 g | Glucides 16 g | Fibres 0,4 g | Protéines 2 g | Cholestérol 9 mg

Biscuits à l'orange

4 portions

250 ml	▸ beurre ramolli	▸ 1 tasse
375 ml	▸ sucre	▸ 1 ½ tasse
1	▸ gros œuf	
15 ml	▸ eau	▸ 1 c. à s.
15 ml	▸ extrait d'orange	▸ 1 c. à s.
625 ml	▸ farine tout usage	▸ 2 ½ tasses
2 ml	▸ sel	▸ ½ c. à t.
15 ml	▸ poudre à pâte	▸ 1 c. à s.
125 ml	▸ noix de coco râpée	▸ ½ tasse
	▸ amandes entières	

▸ Préchauffer le four à 180 °C (350 °F). Beurrer et fariner des plaques à biscuits.

▸ Au batteur électrique, réduire en crème le beurre et le sucre. Incorporer l'œuf, l'eau et l'extrait d'orange.

▸ Tamiser ensemble la farine, le sel et la poudre à pâte. Incorporer au premier mélange afin d'obtenir une pâte. Ajouter la noix de coco.

▸ Façonner la pâte en très petites boules et les déposer sur les plaques à biscuits. Avec le pouce, faire un creux sur chaque biscuit et y déposer une amande. Laisser suffisamment d'espace entre les biscuits pour leur permettre de s'étaler pendant la cuisson.

▸ Faire cuire au milieu du four, de 12 à 15 minutes.

▸ Sortir les biscuits du four et les mettre sur une grille. Les laisser refroidir complètement avant de les ranger dans un contenant hermétique.

Desserts

1 portion | Calories 80 | Lipides 4 g | Glucides 10 g | Fibres 0,3 g | Protéines 1 g | Cholestérol 14 mg

Carrés aux dattes

8 portions

250 g	▸ beurre ramolli	▸ ½ lb
375 ml	▸ cassonade	▸ 1 ½ tasse
250 ml	▸ flocons d'avoine	▸ 1 tasse
375 ml	▸ farine tout usage	▸ 1 ½ tasse
5 ml	▸ bicarbonate de soude	▸ 1 c. à t.
1	▸ pincée de sel	
500 g	▸ dattes dénoyautées	▸ 1 lb
425 ml	▸ eau	▸ 1 ¾ tasse

▸ Préchauffer le four à 180 °C (350 °F). Beurrer un moule à gâteau carré de 20 cm (8 po) de côté.

▸ Au batteur électrique, réduire en crème le beurre et 250 ml (1 tasse) de cassonade.

▸ Mélanger les flocons d'avoine, la farine, le bicarbonate de soude et le sel. Incorporer au premier mélange.

▸ Dans une casserole, mélanger les dattes, l'eau et le reste de la cassonade. Porter à ébullition. Baisser le feu à doux et laisser mijoter jusqu'à ce que le mélange épaississe, en remuant de temps à autre. Retirer du feu et laisser refroidir.

▸ Presser un peu du mélange aux flocons d'avoine dans le moule à gâteau, en une couche de 1 cm (½ po) d'épaisseur. Couvrir du mélange aux dattes, puis du reste du mélange aux flocons d'avoine. Faire cuire au four 25 minutes.

▸ Sortir du four et laisser refroidir dans le moule avant de couper en carrés.

1 portion | Calories 595 | Lipides 23 g | Glucides 92 g | Fibres 5,6 g | Protéines 5 g | Cholestérol 61 mg

Gâteau marbré au chocolat

16 portions

625 ml	▸ sucre	▸ 2 ½ tasses
500 ml	▸ beurre ramolli	▸ 2 tasses
10	▸ gros œufs	▸ 10
15 ml	▸ vanille	▸ 1 c. à s.
1 litre	▸ farine tout usage	▸ 4 tasses
150 g	▸ chocolat mi-amer, fondu	▸ 5 oz

▸ Préchauffer le four à 150 °C (300 °F). Beurrer un moule à gâteau d'une contenance de 3 litres (12 tasses).

▸ Au mélangeur électrique, réduire en crème le sucre et le beurre.

▸ Incorporer les œufs un à un, en mélangeant bien après chaque addition.

▸ Incorporer la vanille, puis la farine, par 250 ml (1 tasse), en mélangeant bien après chaque addition.

▸ Verser la moitié de la pâte dans le moule, l'arroser de chocolat fondu et y faire courir la lame d'un couteau pour marbrer la pâte. Ajouter délicatement le reste de la pâte.

▸ Faire cuire au four 1 h 30, ou jusqu'à ce que la pointe d'un couteau enfoncée au centre en ressorte propre. Laisser refroidir de 10 à 12 minutes avant de démouler sur une grille.

1 portion | Calories 498 | Lipides 30 g | Glucides 50 g | Fibres 2,4 g | Protéines 7 g | Cholestérol 194 mg

Gâteau aux carottes

6 portions

250 ml	▸ sucre	▸ 1 tasse
125 ml	▸ huile végétale	▸ ½ tasse
250 ml	▸ farine tout usage, tamisée	▸ 1 tasse
5 ml	▸ poudre à pâte	▸ 1 c. à t.
5 ml	▸ cannelle	▸ 1 c. à t.
5 ml	▸ bicarbonate de soude	▸ 1 c. à t.
2 ml	▸ sel	▸ ½ c. à t.
2	▸ gros œufs	
375 ml	▸ carottes râpées	▸ 1 ½ tasse
50 ml	▸ noix hachées	▸ ¼ tasse
50 ml	▸ raisins secs dorés	▸ ¼ tasse

▸ Préchauffer le four à 160 °C (325 °F). Beurrer et fariner un moule à gâteau de 22 cm (8 ½ po) de diamètre.

▸ Au malaxeur, bien mélanger le sucre et l'huile.

▸ Mélanger les ingrédients secs ensemble. En incorporer la moitié au mélange sucre et huile.

▸ Incorporer les œufs un à un, en mélangeant bien après chaque addition.

▸ Incorporer le reste des ingrédients secs, puis les carottes, les noix et les raisins secs.

▸ Verser la pâte dans le moule à gâteau et faire cuire au four 1 h 15, ou jusqu'à ce que la pointe d'un couteau enfoncée au centre en ressorte propre.

▸ Laisser refroidir légèrement avant de démouler sur une grille. Pendant que le gâteau refroidit, préparer le glaçage.

Glaçage au fromage

250 g	▸ fromage à la crème, ramolli	▸ ½ lb
30 ml	▸ jus d'orange	▸ 2 c. à s.
2 ml	▸ vanille	▸ ½ c. à t.
500 ml	▸ sucre à glacer	

▸ Battre le fromage à la crème avec le jus d'orange et la vanille. Incorporer graduellement le sucre à glacer, en remuant sans cesse.

▸ Étaler sur le gâteau aux carottes et servir.

1 portion | Calories 758 | Lipides 38 g | Glucides 96 g | Fibres 1,9 g | Protéines 8 g | Cholestérol 113 mg

Desserts

Gâteau aux bananes et aux noix

6 portions

125 ml	▸ beurre ramolli	▸ ½ tasse
250 ml	▸ sucre	▸ 1 tasse
2	▸ gros œufs	
3	▸ bananes, écrasées	
50 ml	▸ noix hachées, au choix	▸ ¼ tasse
2 ml	▸ bicarbonate de soude	▸ ½ c. à t.
15 ml	▸ poudre à pâte	▸ 1 c. à s.
500 ml	▸ farine tout usage	▸ 2 tasses
1	▸ pincée de sel	
45 ml	▸ rhum	▸ 3 c. à s.
50 ml	▸ babeurre	▸ ¼ tasse

▸ Préchauffer le four à 180 °C (350 °F). Beurrer et fariner un moule à gâteau de 23 cm (9 po) de diamètre.

▸ Au batteur électrique, réduire en crème le beurre et le sucre. Ajouter les œufs un à un, en mélangeant bien après chaque addition. Incorporer les bananes, puis les noix.

▸ Tamiser ensemble les ingrédients secs. En incorporer la moitié à la pâte.

▸ Ajouter le rhum et le babeurre ; mélanger. Bien incorporer le reste des ingrédients secs.

▸ Verser la pâte dans le moule. Faire cuire au four 1 heure, ou jusqu'à ce que la pointe d'un couteau enfoncée au centre en ressorte propre. Laisser refroidir 5 minutes avant de démouler sur une grille.

▸ Servir froid avec de la crème anglaise, ou garni d'un glaçage au choix.

1 portion | Calories 546 | Lipides 19 g | Glucides 82 g | Fibres 2,5 g | Protéines 8 g | Cholestérol 112 mg

Desserts

Pain au chocolat, dattes et noix

6 portions

175 ml	► farine tout usage	► ¾ tasse
2 ml	► bicarbonate de soude	► ½ c. à t.
1 ml	► sel	► ¼ c. à t.
250 ml	► dattes dénoyautées, hachées	► 1 tasse
125 ml	► cassonade	► ½ tasse
50 ml	► beurre ramolli	► ¼ tasse
50 ml	► eau	► ¼ tasse
125 ml	► brisures de chocolat mi-sucré	► ½ tasse
2	► gros œufs, battus	
45 ml	► brandy	► 3 c. à s.
50 ml	► babeurre	► ¼ tasse
125 ml	► noix hachées	► ½ tasse

► Préchauffer le four à 180 °C (350 °F). Beurrer et fariner un moule à pain de 23 cm sur 13 cm (9 po sur 5 po).

► Dans un petit bol, tamiser la farine, le bicarbonate de soude et le sel ; réserver.

► Mettre les dattes, la cassonade, le beurre et l'eau dans une casserole. Faire cuire à feu moyen-doux jusqu'à ce que les dattes soient ramollies, en remuant souvent.

► Au robot culinaire, mélanger pendant 1 minute la préparation aux dattes, les brisures de chocolat et les œufs battus.

► Ajouter la moitié des ingrédients tamisés ; mélanger. Ajouter le brandy et le babeurre ; mélanger. Incorporer le reste des ingrédients tamisés puis, très délicatement, les noix.

► Verser la pâte dans le moule à pain et faire cuire au four 45 minutes, ou jusqu'à ce que la pointe d'un couteau enfoncée au centre en ressorte propre.

► Sortir le gâteau du four et le laisser refroidir légèrement avant de le démouler sur une grille.

► Servir froid, tel quel, ou saupoudré de sucre à glacer.

1 portion | Calories 413 | Lipides 18 g | Glucides 53 g | Fibres 3,1 g | Protéines 6 g | Cholestérol 88 mg

Quatre-quarts au chocolat

6 à 8 portions

250 g	▸ chocolat mi-sucré, en morceaux	▸ 8 oz	
250 g	▸ beurre non salé, à la température ambiante	▸ ½ lb	
4	▸ œufs de taille moyenne, à la température ambiante		
300 ml	▸ sucre	▸ 1 ¼ tasse	
375 ml	▸ farine tout usage, tamisée	▸ 1 ½ tasse	

▸ Préchauffer le four à 180 °C (350 °F). Beurrer et fariner légèrement un moule à gâteau carré de 20 cm (8 po) de côté.

▸ Bien faire fondre le chocolat et le beurre au bain-marie. Laisser légèrement refroidir.

▸ Au batteur électrique, battre les œufs et le sucre pendant 4 minutes, jusqu'à ce que le mélange soit mousseux.

▸ Incorporer le chocolat fondu, puis la farine. Verser dans le moule à gâteau. Faire cuire au four 45 minutes, ou jusqu'à ce que la pointe d'un couteau enfoncée au centre en ressorte propre.

▸ Sortir le gâteau du four et laisser reposer de 3 à 4 minutes avant de le démouler. Laisser refroidir au moins 2 heures sur une grille. Servir tel quel ou saupoudré de sucre à glacer. Garnir de petits fruits, si désiré.

Desserts

Gâteau renversé aux pêches

6 à 8 portions

30 ml	▸ jus de pêche en conserve	▸ 2 c. à s.	
30 ml	▸ sucre	▸ 2 c. à s.	
500 ml	▸ pêches tranchées, en conserve, égouttées	▸ 2 tasses	
15 ml	▸ cassonade	▸ 1 c. à s.	
125 ml	▸ beurre ramolli	▸ ½ tasse	
125 ml	▸ sucre	▸ ½ tasse	
3	▸ gros œufs		
300 ml	▸ farine à pâtisserie	▸ 1 ¼ tasse	
1	▸ pincée de sel		
	▸ zeste râpé de 1 orange		
	▸ jus de 1 orange		

▸ Préchauffer le four à 180 °C (350 °F). Beurrer généreusement un moule à gâteau de 23 cm (9 po) de diamètre.

▸ Dans une petite casserole, à feu moyen-vif, faire chauffer le jus de pêche avec 30 ml (2 c. à s.) de sucre. Ajouter les pêches et remuer pour les enrober de sirop.

▸ Saupoudrer de cassonade le fond du moule. En partant du centre, disposer les pêches en cercle de façon à couvrir tout le fond du moule.

▸ Au batteur électrique, réduire en crème le beurre et le zeste d'orange. Incorporer 125 ml (½ tasse) de sucre. Battre jusqu'à ce que le mélange soit pâle et léger.

▸ Incorporer les œufs un à un, en battant après chaque addition.

▸ Ajouter la farine, le sel et le jus d'orange. Bien mélanger.

▸ Verser la pâte sur les pêches, dans le moule. Faire cuire au four de 40 à 50 minutes, ou jusqu'à ce que la pointe d'un couteau enfoncée au centre en ressorte propre. Laisser refroidir le gâteau avant de le démouler.

▸ Pour démouler, faire courir la lame d'un couteau le long de la paroi interne du moule. Renverser sur un plat de service.

Nappage

15 ml	▸ liqueur d'abricot	▸ 1 c. à s.
30 ml	▸ sucre	▸ 2 c. à s.
30 ml	▸ eau	▸ 2 c. à s.

▸ Mettre tous les ingrédients dans une casserole et porter à ébullition, à feu vif. Faire cuire jusqu'à ce que le mélange épaississe, en remuant continuellement.

▸ Badigeonner les pêches de nappage.

Desserts

Gâteau Balthazar

6 à 8 portions

250 ml	▸ farine tout usage	▸ 1 tasse
300 ml	▸ amandes en poudre	▸ 1 ¼ tasse
175 ml	▸ sucre	▸ ¾ tasse
3	▸ jaunes d'œufs	
175 ml	▸ rhum	▸ ¾ tasse
250 ml	▸ fruits confits hachés	▸ 1 tasse
4	▸ blancs d'œufs, en neige ferme	
15 ml	▸ beurre	▸ 1 c. à s.
30 ml	▸ amandes effilées	▸ 2 c. à s.

▸ Préchauffer le four à 180 °C (350 °F).

▸ Tamiser la farine dans un bol.

▸ Dans un autre bol, mélanger les amandes en poudre et le sucre. Au batteur à main, incorporer les jaunes d'œufs. Lorsque le mélange épaissit, utiliser une spatule.

▸ Incorporer le rhum, puis les fruits confits.

▸ Ajouter la farine. Incorporer très délicatement la moitié des blancs d'œufs avec une spatule*. Recommencer avec le reste des blancs d'œufs.

▸ Beurrer un moule à gâteau et le parsemer d'amandes effilées. Y verser la pâte, enfourner et faire cuire de 35 à 45 minutes. Laisser refroidir avant de servir.

* Il est important d'incorporer la farine en même temps que la moitié des blancs d'œufs, sinon la pâte sera trop épaisse.

1 portion | Calories 401 | Lipides 15 g | Glucides 45 g | Fibres 1,9 g | Protéines 9 g | Cholestérol 84 mg

Gâteau au citron

6 portions

1	▸ citron		
375 ml	▸ farine tout usage, tamisée	▸ 1 ½ tasse	
5 ml	▸ poudre à pâte	▸ 1 c. à t.	
2 ml	▸ sel	▸ ½ c. à t.	
125 ml	▸ beurre ramolli	▸ ½ tasse	
250 ml	▸ sucre	▸ 1 tasse	
2	▸ gros œufs		
125 ml	▸ lait	▸ ½ tasse	

▸ Préchauffer le four à 180 °C (350 °F). Beurrer et fariner un moule à pain de 23 cm sur 13 cm (9 po sur 5 po).

▸ Râper finement le zeste du citron. Couper le citron en deux et en exprimer le jus.

▸ Dans un bol, mélanger la farine, la poudre à pâte et le sel.

▸ Au batteur électrique, réduire en crème le beurre et le sucre.

▸ Ajouter les œufs, le lait, le zeste et le jus de citron. Incorporer le mélange à la farine.

▸ Verser la pâte dans le moule à pain et faire cuire au four de 55 à 60 minutes. Laisser refroidir légèrement avant de démouler. Laisser refroidir complètement sur une grille avant de servir.

Desserts

Pudding
au pain

4 à 6 portions

250 ml	▸ raisins secs	▸ 1 tasse	
45 ml	▸ rhum	▸ 3 c. à s.	
3	▸ gros œufs		
15 ml	▸ vanille	▸ 1 c. à s.	
250 ml	▸ cassonade	▸ 1 tasse	
1	▸ pincée de sel		
500 ml	▸ lait, chaud	▸ 2 tasses	
625 ml	▸ mie de pain blanc, en dés	▸ 2 ½ tasses	
30 ml	▸ beurre	▸ 2 c. à s.	

▸ Mettre les raisins dans un bol et les arroser de rhum. Laisser mariner 2 heures, à la température ambiante.

▸ Préchauffer le four à 180 °C (350 °F). Beurrer un moule de 23 cm (9 po) de diamètre.

▸ Mettre les œufs dans un grand bol. Au batteur électrique, bien incorporer la vanille, la cassonade et le sel.

▸ Incorporer le lait chaud et le pain. Ajouter les raisins, le rhum et le beurre ; mélanger. Verser la pâte dans le moule et faire cuire au four 45 minutes. Servir chaud avec de la crème fouettée et un coulis de fraises, si désiré.

1 portion | Calories 319 | Lipides 8 g | Glucides 51 g | Fibres 1,9 g | Protéines 7 g | Cholestérol 124 mg

Gâteau aux fruits confits

6 à 8 portions

175 ml	▶ raisins secs	▶ ³⁄₄ tasse
125 ml	▶ rhum	▶ ½ tasse
375 ml	▶ farine tout usage, tamisée	▶ 1 ½ tasse
2 ml	▶ bicarbonate de soude	▶ ½ c. à t.
5 ml	▶ poudre à pâte	▶ 1 c. à t.
2 ml	▶ clou de girofle moulu	▶ ½ c. à t.
5 ml	▶ cannelle	▶ 1 c. à t.
125 ml	▶ beurre ramolli	▶ ½ tasse
250 ml	▶ sucre	▶ 1 tasse
2	▶ gros œufs	
2	▶ gros jaunes d'œufs	
125 ml	▶ crème à 35 %	▶ ½ tasse
125 ml	▶ fruits confits hachés	▶ ½ tasse
30 ml	▶ miel	▶ 2 c. à s.
2	▶ gros blancs d'œufs, en neige ferme	

▶ Préchauffer le four à 180 °C (350 °F). Beurrer et fariner un moule à gâteau rond.

▶ Faire tremper les raisins secs dans le rhum, 30 minutes, à la température ambiante.

▶ Tamiser ensemble la farine, le bicarbonate de soude, la poudre à pâte et les épices.

▶ Au batteur électrique, réduire en crème le beurre et le sucre. Incorporer tous les œufs. Ajouter la crème et mélanger pour obtenir une pâte lisse.

▶ Tamiser la farine sur la pâte et mélanger. Ajouter les raisins, le rhum, les fruits confits et le miel. Incorporer très délicatement les blancs d'œufs.

▶ Verser dans le moule à gâteau et faire cuire au four de 60 à 75 minutes, ou jusqu'à ce que la pointe d'un couteau enfoncée au centre en ressorte propre.

▶ Laisser refroidir, puis démouler sur une grille. Glacer avec le glaçage au fromage (p. 139), si désiré, et servir.

1 portion | Calories 425 | Lipides 19 g | Glucides 55 g | Fibres 1,1 g | Protéines 6 g | Cholestérol 147 mg

Gâteau aux amandes et au cognac

6 portions

125 ml	▸ beurre ramolli	▸ ½ tasse
250 ml	▸ sucre	▸ 1 tasse
3	▸ gros œufs	
300 ml	▸ farine tout usage	▸ 1 ¼ tasse
1 ml	▸ sel	▸ ¼ c. à t.
2 ml	▸ poudre à pâte	▸ ½ c. à t.
50 ml	▸ amandes moulues	▸ ¼ tasse
5 ml	▸ extrait d'amande	▸ 1 c. à t.
30 ml	▸ cognac ou brandy	▸ 2 c. à s.

▸ Préchauffer le four à 180 °C (350 °F). Beurrer et fariner un moule à gâteau carré de 20 cm (8 po) de côté et de 7 cm (2 ¾ po) de profond.

▸ Au batteur électrique, réduire en crème le beurre, le sucre et 1 œuf. Battre 2 minutes, à vitesse élevée.

▸ Tamiser ensemble la farine, le sel et la poudre à pâte. Incorporer la moitié de ce mélange au beurre en crème.

▸ Ajouter les œufs qui restent ; battre 1 minute. Ajouter le reste des ingrédients tamisés ; battre 1 minute.

▸ Incorporer les amandes moulues, l'extrait d'amande et le cognac ; battre 1 minute. Verser la pâte dans le moule à gâteau et faire cuire au four 40 minutes, ou jusqu'à ce que la pointe d'un couteau enfoncée au centre en ressorte propre.

▸ Laisser refroidir 5 minutes avant de démouler sur une grille.

▸ Saupoudrer de sucre à glacer et garnir d'amandes effilées grillées ou d'un glaçage de votre choix, si désiré.

Tarte à la rhubarbe

6 portions

250 ml	▸ sucre	▸	1 tasse
75 ml	▸ farine tout usage	▸	⅓ tasse
175 ml	▸ crème à 35 %	▸	¾ tasse
1	▸ pincée de sel		
1	▸ pincée de muscade		
1 litre	▸ rhubarbe fraîche, en tronçons de 1 cm (½ po)	▸	4 tasses
	▸ croûte à tarte de 23 cm (9 po)		

▸ Préchauffer le four à 230 °C (450 °F).

▸ Dans un grand bol, battre en un mélange épais et lisse le sucre, la farine, la crème, le sel et la muscade. Avec une cuillère en bois, incorporer la rhubarbe.

▸ Verser dans la croûte à tarte non cuite et faire cuire au four 20 minutes.

▸ Baisser la température du four à 180 °C (350 °F). Poursuivre la cuisson de la tarte jusqu'à ce que la garniture ait épaissi.

▸ Laisser refroidir et servir.

1 portion | Calories 360 | Lipides 20 g | Glucides 42 g | Fibres 1,4 g | Protéines 3 g | Cholestérol 37 mg

Tarte aux bleuets

6 portions

500 ml	▸ bleuets frais	▸	2 tasses
30 ml	▸ jus de citron	▸	2 c. à s.
15 ml	▸ zeste de citron râpé	▸	1 c. à s.
50 ml	▸ sucre	▸	¼ tasse
5 ml	▸ fécule de maïs	▸	1 c. à t.
45 ml	▸ eau froide	▸	3 c. à s.
	▸ croûte à tarte de biscuits graham, cuite, du commerce		
	▸ crème fouettée		

▸ Mettre les bleuets dans une casserole. Ajouter le jus et le zeste de citron, ainsi que le sucre. Couvrir et faire cuire 4 minutes, à feu moyen-doux.

▸ Délayer la fécule de maïs dans l'eau froide ; l'incorporer aux bleuets. Faire cuire 2 minutes.

▸ Retirer la casserole du feu et laisser le mélange refroidir. Verser dans la croûte à tarte et servir avec de la crème fouettée.

Desserts

1 portion | Calories 178 | Lipides 6 g | Glucides 30 g | Fibres 1,4 g | Protéines 1 g | Cholestérol 0 mg

Glaçage au chocolat

Environ 500 ml ▸ 2 tasses

120 ml	▸ beurre ramolli	▸	8 c. à s.
120 ml	▸ cacao	▸	8 c. à s.
750 ml	▸ sucre à glacer	▸	3 tasses
15 ml	▸ vanille	▸	1 c. à s.
15 ml	▸ Cointreau	▸	1 c. à s.
50 ml	▸ crème à 35 %	▸	¼ tasse

▸ Dans un bol, battre le beurre jusqu'à ce qu'il soit bien mou.

▸ Ajouter le cacao et le sucre à glacer ; mélanger pour former une pâte.

▸ Ajouter la vanille et le Cointreau ; mélanger avec une cuillère en bois.

▸ Incorporer la crème en fouettant, jusqu'à ce que le glaçage devienne lisse et crémeux.

Crème pâtissière

Environ 625 ml ▸ 2 ½ tasses

250 ml	▸ lait	▸	1 tasse
15 ml	▸ eau	▸	1 c. à s.
50 ml	▸ sucre	▸	¼ tasse
3	▸ jaunes d'œufs		
50 ml	▸ farine tout usage, tamisée	▸	¼ tasse
5 ml	▸ vanille	▸	1 c. à t.

▸ Faire chauffer le lait et l'eau dans une casserole, à feu moyen ; porter à ébullition.

▸ Dans un bol, avec une spatule, mélanger le sucre et les jaunes d'œufs de 3 à 4 minutes, ou jusqu'à ce que le mélange devienne blanc et léger. Incorporer la farine avec la spatule.

▸ Incorporer graduellement la vanille au lait. Ajouter la moitié du mélange aux œufs, en remuant continuellement avec une cuillère en bois.

▸ Remettre la sauce sur feu moyen. Incorporer graduellement l'autre moitié du mélange aux œufs, en remuant continuellement avec une cuillère en bois.

▸ Mélanger jusqu'à ce que la crème soit très épaisse. Verser dans un bol, laisser refroidir et couvrir d'une feuille de papier ciré beurrée.

* La crème pâtissière se garde 48 heures au réfrigérateur.

Glace à l'orange

Environ 175 ml ▸ ³/₄ tasse

250 ml	▸ sucre	▸ 1 tasse
30 ml	▸ fécule de maïs	▸ 2 c. à s.
125 ml	▸ jus d'orange	▸ ½ tasse
1	▸ pincée de sel	
	▸ zeste de 1 citron ou de 1 orange	

▸ Mélanger le sucre avec la fécule de maïs, dans une casserole. Ajouter le jus d'orange, le zeste et le sel. Bien mélanger et faire cuire de 3 à 4 minutes à feu moyen, jusqu'à ce que la glace épaississe. En napper le gâteau et laisser refroidir.

Sauce béchamel

500 ml ▸ 2 tasses

60 ml	▸ beurre	▸ 4 c. à s.
60 ml	▸ farine	▸ 4 c. à s.
500 ml	▸ lait, chaud	▸ 2 tasse
1	▸ pincée de muscade sel et poivre	

▸ Faire fondre le beurre dans une casserole à feu moyen.

▸ Incorporer la farine et faire cuire 1 minute.

▸ Ajouter le lait peu à peu, en fouettant.

▸ Assaisonner de muscade, de sel et de poivre.

▸ Faire cuire de 8 à 10 minutes, à feu doux, jusqu'à ce que la sauce épaississe.

Desserts

159

Index